ちくま文庫

はたらかないで、たらふく食べたい　増補版

「生の負債」からの解放宣言

栗原康

JN090309

筑摩書房

目次

キリギリスとアリ
——はたらくこと馬車馬のごとく、あそぶこと山猿のごとし　8
切りとれ、この祈る耳を
——耳切り一団　14
3・11になにをしていたか？
——とうとう江戸の歴史が終わった　20
豚小屋に火を放て
——伊藤野枝の矛盾恋愛論　26
甘諸の論理
——うまい、うますぎる！　52
地獄へ堕ちろ
——ヘイトスピーチか、それともスラムの念仏か　59

他人の迷惑かえりみず
——心得としての高野長英　76
お寺の縁側でタバコをふかす
——大逆事件を旅してみれば　96
豚の足でもなめやがれ
——もののあはれとはなにか？　111
大杉栄との出会い
——赤ん坊はけっして泣きやまない　132
ヘソのない人間たち
——夢をみながら現実をあるく　138
反人間的考察
——歴史教科書としての『インググロリアス・バスターズ』　145
豚の女はピイピイとわめく　158
だまってトイレをつまらせろ
——船本洲治のサボタージュ論　179

文庫版増補

シカ人間の精神
——危機のときほど、遊んでしまえ　206
魂をたがやすな
——超絶！　悶絶！　沖縄旅行　215
はたらく女性は、方向音痴
——地図はなくても歩いてゆける　224
ほどこしをしたら、こん棒でうて
——プレゼントの思想　233

単行本あとがき　244
文庫版あとがき　アリがおどれば、世界はとまる　253
参考文献　268
初出一覧　271
解説　早助よう子　273

はたらかないで、たらふく食べたい　増補版

「生の負債」からの解放宣言

キリギリスとアリ
――はたらくこと馬車馬のごとく、あそぶこと山猿のごとし

　はたらかざるもの、食うべからず。さいきん、あらためてこの格言の力をかんじている。きっとおわることのない世界的不況。ニュースでは、いつものように企業閉鎖や労働者の悲惨さがとりあげられ、経済破綻がさわがれている。字面だけみると、新自由主義がふつうに批判されるようになっており、労働者に同情的な声がひろがっているようにもみえるが、その内実をみるとびっくりしてしまう。不況だからクビ切りはいたしかたない、国民一体となって不況をのりきろう、失業者は低賃金でもはたらきたがっている、どんな仕事でもはたらけるだけましだ、と。ひどいものだ。これはどういうことなのか。どう考えても、みんな企業のせいでたいへんなおもいをしているのに、その責任を問うどころか、むしろ企業のために必死にはたらくことが推奨さ

れている。過剰なまでにふくれあがっている労働倫理。「わたしは、はたらきませんー」なんていおうものなら、すぐにでも非国民あつかいされてしまいそうだ。しかし、そもそも労働倫理って、いったいなんなのだろうか。自分はいつからそんなものをうえつけられてしまったのか。そんなことをとりとめもなく考えていたとき、ふとむかし、大学の先輩がはなしてくれた物語をおもいだした。

キーコー、キーコー。「気持ちいいー、最高だ。たのしいなぁ、たのしいなぁ」。バイオリン弾きのキリギリスさんは、夏のひとときをたのしんでいました。まわりにいるハチさんやチョウチョさんも楽しくて小躍りしています。

そこへ重い荷物を背負ったアリさんがやってきてこういいました。「あー、忙しい、忙しい、疲れるなー。おやおや？　そこにいるのはキリギリスさんではないですか。もう、何をやっているんですか。怠け者だなー、ちゃんとはたらいてくださいよ」。

すると、キリギリスさんはこういいました。「うるさいなー、いいところなのに。あっちへ行ってよ。しっ！　しっ！」。あきれたアリさんは、その場を立ちさっていきました。

それからしばらくして冬になりました。夏に食料をためていたアリさんは、家にこもって贅沢な暮しをしていました。一方、キリギリスさんは大好きな草々も枯れはて、食うにも困るありさまでした。そこで、キリギリスさんは食べ物をわけてもらいに、アリさんのお家を訪ねました。

コンコン、コンコン。ギー。すこし小太りになったアリさんがドアをあけました。「アリさん、アリさん、お腹がすきました。すこしご飯をわけてくださいな」。すると、アリさんはしたり顔でこういいました。「しーらない。自業自得でしょ、自業自得」。

パクッ！　ムシャムシャ、ムシャムシャ、ゴクンッ。

とつぜんのことでした。キリギリスさんは一口のもとにアリさんを食べてしまいました。皮肉なことに、贅沢をしていたアリさんは、ぷっくらしていてとてもおいしそうにみえたのです。その冬、キリギリスさんはアリさんの家を解放し、ハチさんやチョウチョさんといっしょにとてもしあわせな生活をおくったそうな。めでたし、めでたし。

いうまでもなく、これはイソップ物語の「アリとキリギリス」を反転させたものだ。たぶん、原作をしらないひとはいないだろう。わたしたちは子どものころから、この寓話をつうじて、はたらかざるもの、食うべからずとおしえこまれてきた。そして、この格言の力は、一九七〇年代からすこしずつ大きなものになっている。第一次石油ショック後、世界はいまとおなじように不況におちいり、福祉国家から新自由主義への転換をせまられたのだが、それで労働倫理も強化することが必要とされたのである。福祉国家では、正社員のメリットを説き、仕事はつらいが、がんばれば生計をたてられる、家族をやしなえるよといっていればよかったが、新自由主義では、それを非正規社員にまで拡張しなければならない。いつクビを切るかわからないし、福祉も手当てもやりはしないが、がんばってくれ、どんな仕事にもやりがいはあるのだからと。これみよがしに、仕事のやりがいが吹聴される。海外では、なにいっているんだこのやろうと、労働者があばれたのだが、日本では、この論理がおどろくほどスムーズにうけいれられた。だから、どんなに寒い冬のなかでも、正社員じゃなくバイトの人たちが街角にでて、ありえないような笑顔でティッシュ配りをしていたりする。ふつうなら、そんなことはできやしない。

さらにいま、この不況のなかで、もっと屈折した労働倫理があらわれている。これだけ非正規の仕事がたくさんあるのに、仕事をみつけられないのは、そのひとがサボっているからにほかならない。おまえのせいだ、おまえのせいだ、はたらけ、はたらけと。でも、よく考えてほしい。ほんとうに、みんながみんなそんなにはたらきたがっているのだろうかと。むしろ、いままでがんばってきたのだから失業したり、仕事がみつからなかったときくらい、カネをもらって休んでもいいんじゃないかとおもうひとのほうがおおいのではないだろうか。いや、ちがう。これだけ仕事がなくなっているのだから、もうみんなでたすけあって、はたらかないで食べていく道をさぐったほうがいいのではないか。というか、そういうたすけあいこそ、ほんらい労働とよぶべきではないだろうか。みんなが小躍りしてしまうようなたのしい空間をつくることこそが、ほんとうの意味での労働ではないだろうか。そういってくれないなら、はたらこうとなんてするもんか。あそびたい、あそびたい、あそびたい。キリギリスが物語の主人公になったとき、いままでとは、ぜんぜんちがった世界がみえてくる。きっと労働倫理だって、そういうところからまったく別のものがうまれてくるはずだ。はたらかないで、たらふく食べたい。これがあたらしい格言だ。

切りとれ、この祈る耳を
――耳切り一団

昔々、わたしが修行していた寺に、芳一という若者が居候しておりました。琵琶法師といえばわかりますでしょうか、芳一は琵琶のひきがたりの名人で、平家物語なんかをうたいはじめると、だれもが涙せずにはいられないほどの腕前でした。しかしある日、とつぜん芳一は妙なことをいいはじめました。「最近さ、なんか平家の怨霊が毎晩やってきて、ひきがたりをさせられているんだよ。リアクションがよくてたまんねえよ、たのしい」。どうかしている。和尚も和尚です。芳一のはなしをまにうけて、それはあぶない、もう怨霊のところになんかいってはいけないとほんきで忠告なさっていました。しかし翌日、わたしはとんでもない光景を目にすることになりました。深夜、とおくの部屋からギョエーという悲鳴がきこえてきたので、おそるおそるいってみると、なんと芳一が耳をかかえてゴロゴロと転がってい るではありませんか。しかも素っ裸。からだには経文がかきつけられています。ど うしたことでしょう。あとからきいたはなしでは、和尚が怨霊にはみえなくなるよ うにと、芳一の全身に般若心経の経文をかいたものの、耳にかくのをわすれてしま い、怨霊にひきちぎられてしまったのだそうです。ひどすぎる。しかし、芳一の耳 がきりとられていたことはたしかです。そしてあのとき、もだえ苦しむ芳一が、こ んな言葉を発したのを、いまでもわすれることができません。オタスケオタスケオ タスケヨ、オネガイダカラオタスケヨ。もしかしたら、あれは人間の声ではなく、 怨霊たちのさけび声だったのかもしれません。なむあみだぶつ。

いわなくてもわかるだろうが、これは「耳なし芳一」という怪談である。明治時代 に小泉八雲が紹介したことで、いちやく有名になった。しかし、あまりしられていな いのは、この怪談がもともと「耳切り団一」というタイトルだったということだ。主 人公はあくまで耳をきりとった平家の怨霊たち。わたしは、NHKの大河ドラマ「平 清盛」(二〇一二年)が大好きだったので、その子どもたちの怨霊ときいたら、もうがぜん同情してしまう。というか、このはなしをきいて、平家の怨霊たちに怒りをおぼえたというひとはまずいないはずだ。むかつくとしたら、よけいなことをした和尚くらい。平家の怨霊たちは、芳一の歌をきき、実現されなかった夢や希望をおもいだして、ただ涙をながしていただけなのであり、カワイソウだとおもうことはあったとしても、ヒドイとかコワイとおもうことはないだろう。耳をはぎとったのだって、理由がなかったわけじゃない。和尚にいじわるをされて、芳一の耳だけがみえたから、それをもちかえったまでのことである。なにもわるいことなんてしていない。

さて、いまあえてこの怪談をとりあげてみたのは、それが現代社会に生きるわたしたちにとっても重要だとおもえたからだ。いろんないいかたはあるが、わたしたちをとりまくこの社会は、いちおう認知資本主義とよばれている。世のなかがカネもうけでうごいていることはいまもむかしからかわらないが、その最たる手段が人間の認知能力、ようするに情報になったということだ。大切なのは、なんらかの情報がはいってきたら、期待されたとおりの反応をしめすこと、けっして迷わないこと、躊躇しないこと。いっけん人間の頭脳を活用するようになったこの社会は、じつのところほんとうにものを考えてうごくことなんてどうでもよく、ただひとのはなしをきくだけ、いってしまえば耳だけを重視するようになった社会である。これこれこういう情報がはいってきたら、なにも考えずにいわれたとおりにうごくこと。ようするに、上から命令されたら、それにしたがえということだ。しかも以前であれば、会社にいるときだけそうさせられていたのだが、いまではテレビやインターネットをつうじて、家にいてもどこにいてもそうさせられる。認知資本主義は、日常生活にまで浸透しているのだ。

もうすこし、わかりやすいはなしをしてみよう。情報とは、ものごとの解釈のしかたが、はじめから決定されているということだ。たとえば、ちまたでは京都といえば、観光というイメージや情報が氾濫している。わたしは年に三、四回、京都におもむくのだが、純粋に観光でいくことはごくまれだ。だいたいデモとか集会とか、大学の学生寮にあそびにいくとか、なにかべつの用事でいくことがほとんどだ。だから、初対面のひとに、よく京都にいくはなしをすると、うらやましがられるのだが、その目的をあかしたとたんに会話がとまってしまう。興味がないというか、観光以外のことは期待されていないのである。それから、京都に住んでいる人たちの反応もだいたいおなじだ。先日、京都の竹林をみようとおもってブラブラあるいていたところ、古墳があったのでちょっとのぞいてみた。すると、なんとか天皇の墓やらなんやら、イライラするような説明がたくさんかいてあった。ただの支配者じゃないか、そうおもって、とりあえずもっていたカルピスをぶちまけてみると、その場にいあわせた住民が、みてはいけないものでもみたかのように、わたしをじっと凝視し、目があうとさっと自転車をこいで逃げてしまった。なんだかわるいことでもしてしまったような気分だ。きっと京都をおとずれた人たちは、みんなわたしとおなじような目にあいながら、行動の余地をせばめてきたのだろう。おまえらはなにも考えずに、観光客らしいふるまいをしていればいいのだと。キュウクツだ。

わたしたちはいつどこにいても、ひとつの行動を選択せざるをえない。それは生きているかぎりあたりまえなのであるが、でもいまの認知資本主義では、そのひとつでさえ考えてうごく余地がほとんどない。これ、ほんとうにひどいことで、もし実現されなかった行動まで、ひとつの生というか、生きかたであると考えるならば、わたしたちは無数の生を殺したうえで生きているのだ。それはほんとうに罪深いことなのであるが、いまの社会では、その殺戮さえも自覚しないまま生きていかざるをえない。わたしたちは無数の怨霊にとりまかれている。もし怨霊などいない、あるいは、いまある情報にしたがっていればいいというのであれば、それは芳一にムダなアドバイスをした和尚にひとしい。認知資本主義には、人間はああしたらこうすべきだという和尚の説教があまりにおおすぎる。どうしたらいいか。わたしは、いったん耳をとざし、ひとに命令されるのを拒否してみればいいとおもっている。もしかしたら、芳一のように激烈な痛みをともなうこともあるかもしれない。耳をとざすその行為には、殺戮された怨霊たちの無限大の重荷がともなうのだから。わたしたちは、それにたえることができるだろうか。オタスケオタスケオタスケヨ、オネガイダカラオタスケヨ。耳なし芳一のヒューマンストライキ。それはみずからの耳を切りおとし、怨霊そのものになるということだ。認知資本主義の失効にむけて。和尚の戯言は、もうたくさん。まずは耳切り一団を組織しよう。

補記

この文章のタイトルは、佐々木中『切りとれ、あの祈る手を――〈本〉と〈革命〉をめぐる五つの夜話』（河出書房新社、二〇一〇年）からパクらせてもらった。とてもよい本だ。おすすめである。

3・11になにをしていたか?

——とうとう江戸の歴史が終わった

三月一一日、この日はベーシックインカム研究会のつどいで、早稲田にいく予定であった。しかし昼寝ぼうをしてしまい、おきたら開始時間の一五時であった。わたしは埼玉の実家に住んでいるので、早稲田までは二時間かかる。もうまにあわない。せめて飲み会だけでもとおもい、シャワーをあびて服をきていると、とつぜんの大地震だ。とっさに二階にかけあがり、自分の部屋にはいると、命よりも大切なテレビが宙を舞っている。わたしは間一髪でキャッチし、それをかかえこむようにして机の下にもぐりこんだ。たすかった。地震がおさまってから、テレビをつけてみると、どこぞこの石油コンビナートから火があがっている。しかも津波がおきて、何人死んだかわからない状況だという。ふと仲田くんが茨城に帰省していたことをおもいだし、心配になって電話してみた。つながらない。死んでしまったのではないか。とりあえず念仏をとなえた。そういえば研究会の人たちはどうしたのだろう。同席するはずだった堀くんにメールをうった。「きょうは地震のため欠席します」。返事はこない。

三月一二日朝、腹がへったので台所にいくと、両親が口をあけてポカンとしていた。どうも原発がやばいらしい。両親はガソリンをいれがてら、食料品を買いにいった。なにかほしいものはあるかときかれたので、わたしは「赤ワイン」とこたえた。なにも考えられない、なにもすることがない。部屋でゴロゴロしていた。夕方、隣町の女の子から電話がかかってきた。どうしてもわたしたいものがあるというのであいにいった。わたされた袋をあけてみると、亀だ。亀のかたちをしたメロンパンがはいっていた。カメロンパンというらしい。なぜ亀だったのか、いまだにわからない。しかし、きっとわたしを心配してくれたこころのあらわれだろう。ありがとう、お礼をいってわかれた。夜、堀くんからメールの返信がきた。早稲田で被災したが、みんな無事とのこと。家まで何時間もかけ、あるいて帰ったらしい。不謹慎かもしれないが、寝坊してよかったとおもった。

三月一三日早朝、電話でおきた。矢部さんだ。鬼のような声だった。「東海村の原発が爆発しました。ただちに避難してください」。わたしは恐怖のあまり、二度寝してしまった。昼すぎ、仲田くんから電話がかかってきた。生きていた、よかった。仲田くんによれば、東海村は大丈夫だが、福島からの放射能はハンパないという。名古屋に避難することにきめた。矢部さんが避難民のために名古屋の実家を開放している。お地蔵さんみたいだ。しかし調べてみたのだが、わたしの地元は電車がとまっていて身動きがとれない。まいった。翌日、仲田くんは他の友人と名古屋に旅立った。わたしは家でゴロゴロする。妙な緊張感がはしる。カラスの鳴き声もいかれている。こわい。翌三月一五日、不定期で電車がでることがわかった。朝、家をでる。浜松町から高速バスにのることにした。バスをまっているとき、テレビで原発に火がついているのがみえた。自衛隊がヘリで水をかけている。焼け石に水だ。名古屋にむかうバスのなか、もえさかる原発の映像があたまをはなれなかった。わたしはふと徳川綱吉のことをおもいだした。かれが生きていた時代は、なんだかいまに似ている。そのときは直観的にそうおもっただけなのだが、いまからするとまちがっていなかったようにおもわれる。

綱吉といえば、あほで有名な将軍である。あだなは犬公方。かれは幼いころ、明暦の大火を経験した。二日間にわたって火がもえさかり、江戸はかんぜんに焼け野原。一〇万人が焼け死んだ。当時、江戸の人口は七〇万人くらいだから一割以上が死んだことになる。綱吉の館も全焼であった。それから何年もたって、将軍であった兄が亡くなり、綱吉があとをついだ。とうぜん任務は江戸の復興である。だが、綱吉は復興にむけて、奇妙な法令をだした。生類憐みの令である。この法令をもって、綱吉はあほといわれるのだが、かれの経験を考えてみると、ごくまっとうであったことがわかる。明暦の大火では、とにかくたくさんの生きものが死んだ。信心深くならないわけがない。そして火事のあと、損得ぬきで人間や動物が助けあっている姿をみた。生の本質は無償の愛であり、憐憫の情である。あとはそれをひろげるだけだ。ただひたすらに生類をあわれむべし。だが、生類憐みの令は、綱吉のおもわくとは正反対のものになってしまった。こっぱ役人たちが、幕府の支配強化に役立てようとしたのである。犬を殺すのも禁止、いじめるのも禁止。日常生活が監視され、やぶればきびしく罰せられる。民衆はふるえあがり、しだいに自分のふるまいが生きものに害をあたえていないかどうか、ビクビクするようになってしまった。本末転倒である。

ともあれ、綱吉は江戸の再建には成功した。しかし、ここであらたな問題が生じてくる。幕府のカネが底をつきかけていたのである。どうしたらいいか。綱吉のこたえは明快であった。だまって小判の質をおとす。金の量を減らしたのである。元禄小判。この小細工はすぐにばれてしまい、江戸中がパニックにおちいった。ほんとうはたいした問題ではないのだが、やれインフレだの、やれ経済破綻だの、世間は大騒ぎである。だが、それでも綱吉は動じなかった。かりに江戸の経済が壊れたとしても、人口の八割は農民である。大丈夫。そうおもっていたやさきである。一七〇七年、富士山が爆発してしまった。近隣の農業は壊滅状態である。ひとがばたばたと死んでいく。これが信心深さの結果なのだろうか。しばらくして、綱吉は亡くなってしまった。

やはり、綱吉の時代はいまに似ている。震災直後、わたしたちは無償の愛や憐憫の情を経験した。ほんとうはそれをひろげていけばいいだけなのに、そこに絆とかいう社会道徳のおおいがかぶせられる。いまでは東北関東のものは危険だから食べてはいけないとか、被曝労働は危険だからいかないほうがいいとか、口にだすことさえ自主規制させられている。わたしたちの精神はおもすぎて身動きがとれない。カネのことだってそうだ。復興で資金難だからといって、問答無用で消費税があげられる。ほんとうは政府通貨でも発行すればいいだけなのに、政府は増税しかないとウソをつく。

金欠だ、金欠だ。人間は税金によって奴隷になる。わたしたちの身体はおもすぎて身動きがとれない。カタストロフ。わたしたちはもはや富士山の噴火でもまつしかないのだろうか。きっと綱吉が生きていたら、こういうことだろう。国家なんてどうでもいい、社会なんてどうでもいい、ただひたすらに生類をあわれむべし。名古屋にむかったころから、そんなことを考えている。とうとう江戸の歴史が終わった。

豚小屋に火を放て
――伊藤野枝の矛盾恋愛論

人間の意志をこえた力

今年（二〇一三年）の六月、友人にさそわれて徳島県の吉野川市におもむいた。日本一の激流といわれる吉野川でラフティングをするためだ。わたしはおよげないのでいやがったが、友人にライフジャケットがあるからだいじょうぶだといわれて説得された。それにラフティングというのはボートにのって川をくだるものだから、水につかることはないだろうくらいにおもっていた。しかし、これがとんだまちがいだ。最初にインストラクターから説明があり、あまりの激流なので二、三度は転覆するという。だから、まずは自分から激流にとびこんで水になれましょうと。なにをいっているのだろう。おどろいてまわりをみわたすと、みんなうなずきながらふつうにはなしをきいている。そして、ぞろぞろと岩のうえによじのぼり、ピョンピョンと激流のなかに身を投じはじめた。インストラクターがおおきな声で指示をだしている。「流れにしたがって、足をまえにしてすすんでください。そうしないと、あたまを岩にぶつけますよ」。まじかよ。いざ自分の番になってみると、腰がくだけてうごけない。周囲からだいじょうぶだという声がきこえてくるが、なにがだいじょうぶなのかわからない。わたしはプルプルとふるえる両手をあわせ、念仏をとなえた。えいといって、川にとびこむ。

水のなかにはいると、もうめちゃくちゃだ。足をまえにだせといわれたが、身体の自由なんてききやしない。そもそも、すさまじいスピードでグルグルとまわっていて、どちらがまえなのかわからない。岩にバシバシと身体があたる。いたい、息もすえない。ライフジャケットをきているので顔はうきでるのだが、息をすおうとした瞬間に水がとびこんでくる。苦しくて体勢をかえてみるのだが、目にも鼻にも口にも水がはいってとまらない。もがいても、もがいてもおなじことのくりかえしだ。うぅ、うぅ。自分よりも水のほうがえらいのか。あらがえない力がある。なにをやってもうまくはいかない。いま死ぬぞ、いま死ぬぞ、いま死ぬぞ。しかし苦しみの一線をこえると、なんだかとても気持ちよくなってくる。人間の力なんてこんなものだ。自分の意志で、なんでもどうとでもなるとおもったらおおまちがいである。人間の力だの、自分の意志だの、そんなものはぜんぶかなぐり捨ててしまえばいい。そうおもっていたら、とてつもなくおおきな力を手にした気分になってくる。およげない自分が川をくだっているなんて、それだけですごいことじゃないか。そもそも人間の身体なんて、六割、七割が水みたいなものなのだから、川にはいってしまえば自分も川だ。激流になってまわっておどる。やばい、たのしい、もういちど。あとはもうおおはしゃぎだ。

ようするに、ただ旅行をたのしんだだけのことであるが、とはいえ、わざわざラフティングにいったのには理由がある。ひとつは友人のためだ。わたしを徳島にさそってくれたその友人は、大学時代からのつきあいで、ふつうにはたらいているのだが、今年の四月から外資系企業に転職していた。もちろん収入はあがったのだが、いそがしさが尋常ではなかったらしい。過労死寸前のところで医者からストップがかかり、二週間のやすみをもらうことになった。それで気分転換に旅行をしよう、どうせなら日本一の激流でラフティングでもしてみようということになったのだ。きっと友人としても、なにかかなぐり捨てたいものがあったのだろう。労働なんてくそくらえ。もうひとつは自分のためだ。旅行の直前、わたしは二年ほど交際したかの女にふられてしまった。それほどながいつきあいではなかったのだが、結婚の約束をしていたこともあって、いろいろと考えさせられてしまった。なにをやっているんだろう。ふしぎと悲しくはないのだが、みょうに心がいたい。だから、わたしは友人からラフティングにさそわれたとき、こわいといっていやがったのだが、それでもどこかでまあいいかなくらいにおもっていた。かなぐり捨てたいものがある。結婚なんてくそくらえ。もうすこし、自分のはなしをしてみよう。

仕事なんていくらでもあるのに、やりたいことしかやろうとしないのは、わがままな子どもが駄々をこねているようなものだ。

わたしがかの女とであったのは、二〇一一年二月のことだ。友人が合コンを設定してくれて、東京で飲んでいたのだが、はなしていたらたまたま同郷であった。わたしは埼玉県の東武動物公園というところに住んでいるのだが、地元がおなじということはごくまれだ。とうぜんすぐになかよくなり、デートをする約束をした。隣町の春日部にあるララガーデンで映画をみる。そのあとすぐに東日本大震災だ。わたしは自宅にいて無事だったのだが、とにかくまわりが心配だ。いろんな友人に電話やメールをしてみたが、ぜんぜんつながらない。しかし地元にいたかの女にはつながった。かの女は小学校の保健の先生で、ちょうど下校時だったため、子どもたちをおちつかせるのに大変だったようだ。子どもたちの手前、よほどムリをしていたのだろう。電話がつながったときには、おかげで緊張がほどけたとなんどもお礼をいわれた。翌日、かの女から電話があって、東武動物公園の駅まで車できたからでてきてほしいという。いってみると、きのうのお礼ですといわれて紙袋をわたされた。あけてみると、緑色の物体がはいっていた。カメだ。カメのかたちをしたメロンパンである。「カメロンパンといいます」。わたしはとまどってしまったが、でもうれしかった。なにしろ食糧がたりないとか、ガソリンがなくて大変だとかいわれていたときである。自分のことなんてなにも考えずに、とにかくパンを焼いてきてくれたことがとてもうれしかった。その後、わたしは放射能をさけるために、しばらく愛知県に逃げていたのだが、地元にもどってから正式におつきあいすることになった。

つきあいはじめたころ、かの女からこういわれた。結婚を前提につきあいたい、自分はもう三〇歳だから、子どもをうむことを考えたいと。わたしは子どものことなんて考えたこともなかったが、とりあえずそうしましょうとこたえた。変な打算もあったのかもしれない。わたしは当時、三二歳であったが、ほとんど収入がなかった。大学院をでたあと、大学非常勤講師の仕事をえたものの、授業は半期で週に一コマだ。大学院時代にかりた借金は六〇〇万円をこえている。大学の専任講師にでもなれば、年収は一千万円をこえるのだが、なれるみこみなんてどこにもない。だからそんな人間が結婚だとか、子どもだとかを考えるのであれば、相手はよほどの金持ちか、公務員くらいだろうとおもっていた。さいわい、かの女は公務員だし、扶養にいれてもらえば、いまの収入でもなんとかやっていける。子どもがうまれたらうまれたで、わたしが子育てをすることもできるし、両親のたすけをかりれば、いまの仕事くらいはつづけていけるだろう。そんなはなしをすると、かの女もそうしましょうとこたえた。

しかし、かの女からすれば、この時点でそんな生活はいやだったのかもしれない。はじめから雲ゆきはあやしかった。まず、かの女のお父さんと妹さんが反対する。

そんなやつはやめておけ、定職についてないやつなんて男じゃないと。直接いわれたわけではないが、かの女がなんどもそうつぶやいていた。つぎはかの女の同僚だ。かの女から、同僚と飲んでいるのでいっしょにどうかとさそわれた。いってみると、ひとのよさそうな男女五人ほどで飲んでいた。軽くあいさつをして、大好きなビールを飲みはじめると、ひとりがとうとつにこうきりだした。「三〇歳をこえて夢追い人みたいなことはやめましょうよ。現実をみつめてください。この時点で大学教授になれていないのって、才能がないということなんじゃないですか。はやく足をあらって、身をかためましょう」。きっとかの女にたのまれたのだろう。帰りたい。そうおもってかの女のほうをみると、酔っぱらってゲロゲロとはいている。よほど緊張していたのだろう。わたしはかの女を介抱しながら、この年齢で大学教授になっているひとはいないということや、そもそも大学教授になることが目標ではないということをはなした。じゃああなたはなにがしたいんですかときかれたので、わたしは本がよみたい、本をかきたいとこたえた。それじゃあ、子どもとかわりないじゃないですかと冷笑されたので、わたしもヘラヘラと笑ってみせた。かの女はゲロゲロとはいている。

　わたしの友人たちも、逆のことばをかの女になげつけた。つきあいはじめて数カ月後、北海道に旅行にいったときのことだ。わたしは二〇〇八年に洞爺湖サミットがあったとき、抗議運動にかかわろうとおもって、半年くらい札幌に住まわせてもらっていた。だから、そのときの友人が何人かいる。連絡をとると、飲み会をひらいてくれることになった。ちょうど大通公園で従軍慰安婦問題の集会があったので、そこに合流して飲みにいくことになった。いってみると、主催者側よりもそれをとりかこんで野次をとばしている連中のほうがおおかった。在特会とよばれるファシスト集団だ。バカのひとつおぼえか、ひたすらゴキブリ、ゴキブリとさけんでいる。わたしはおもわずふきだしてしまったが、われにかえってかの女のほうをみるとプルプルとふるえている。それはそうだ。うまれてはじめて集会にきたら、おそろしいファシストの罵声である。だいじょうぶかときくと、かの女はこんなところは二度とごめんだという。その後、みんなで飲みにいった。自己紹介をすませると、さっそく元小学校教員のNさんがかの女にこうなげかけた。「はやく扶養にいれちゃいなさい。こういう男の子は好きなことしかやる気がないんだから。やる、やるといってもいつも口だけなのよ。子どもができてもなにがあっても、かれはぜったいにはたらかないんだから」。まずい。でもさすがによくわかっている。かの女の顔がピクピクしているのがわかった。

飲んだあと、かの女からほんとうにはたらく気がないのかときかれたので、わたしはもうすこし収入をあげたいとこたえた。

それからは結婚の準備である。『ゼクシィ』を買って式場の見学にいった。これはたのしい。豪華な料理をただで試食できたりするのだ。あとはファミリーライフの訓練だといわれて、越谷レイクタウンにつれていかれた。敷地面積が東京ドーム六個分の、巨大なショッピングモールだ。いったら一日がかりでまわるのだが、どこもかしこも監視カメラと、ぴかぴかした商品ばかりだ。目がくらくらする。わたしはちょくちょくトイレにいった。つらい。たぶん会社勤めというのも、こういうものなのだろう。それから翌年の三月までかけて、博士論文の執筆にいそしんだ。これがないと専任講師に応募もできない。いわば婚活である。論文を提出しおえると、わたしは『ゼクシィ』にしたがって、婚約指輪を買うことにした。だいたい年収の四分の一の額がふつうらしい。わたしの年収は一〇万円だったので、三万円の指輪を買うことにした。かの女といっしょに新宿のマルイにいく。気にいったものをえらんでもらった。お礼にということで、わたしは時計をもらった。帰り道、ルノアールでお茶をしていると、たまたま友人にでくわした。アメリカから遊びにきていたSさんと、『現代思想』元編集長のIさんだ。わたしはかの女にふたりはとてもお世話になっている友人だと紹介した。するとSさんのほうから自己紹介をしてくれた。「コペンハーゲンで監獄をともにしたSです」。いやいや。かの女の顔がまたピクピクしている。わたしとSさんは、二〇〇九年にコペンハーゲンでCOP15がひらかれたとき、抗議運動に参加して予防拘束されたのだ。わたしが悲しげな表情をすると、なにか察してくれたのか、Sさんが「だいじょうぶ。不当な拘束だったので犯罪歴はついていないし、警察から賠償金が支払われたくらいだから」とフォローしてくれた。しかたがない。わたしはかの女に「旅費がうきました」といって、ヘラヘラしてみせた。

翌週、わたしはかの女と春日部のフランス料理屋で食事をすませ、かの女の車で地元の新しい村にむかった。プロポーズをするためだ。新しい村は「農」をテーマにしたアミューズメントパークであり、夜はちょっとしたデートスポットである。車のなかで指輪の箱をパカッとひらき、結婚してくださいといってみた。オッケーだ。しかし、うれしいのもつかのま、かの女がこうきりだした。「二度とデモや集会にはいかないでください」。札幌やコペンハーゲンのことがあって、こわくなったのだろうとおもった。わたしは心配してくれてありがとうとこたえた。しかしいまからしてみると、これはトンチンカンなこたえだったのかもしれない。その後、わたしはもうすこし収入をあげようとおもって、非常勤講師の公募に一〇件ちかくだした。ひとつもとおらない。かの女からは毎日電話があって、きょうはどんな就活をしたのかとしつこくたずねてくる。電話のあとはいつもぐったりだ。年末になって、ようやくまちにまった博士論文の審査結果がでたが、結果は書きなおし。どうしたものか。とほうにくれながらも、かの女に電話をして、これからがんばって博士論文を書きなおすつもりだとつげた。だが、かの女は大激怒だ。「もう我慢できない。おまえは家庭をもつ、子どもをもつということがどういうことなのかわかっているのか。社会人として、大人として、ちゃんとするということでしょう。正社員になって、毎日つらいとおもいながら、それをたえつづけるのが大人なんだ。やりたいことなんてやってはいけない。仕事なんていくらでもあるのに、やりたいことしかやろうとしないのは、わがままな子どもが駄々をこねているようなものだ」。わたしも売りことばに買いことばで、やりたいことをやらないなら、なにがたのしくて生きているんだときくと、かの女は即答だ。「ショッピングにきまっているでしょう。おまえは研究がたのしいとか、散歩がてらデモにいってくるとか、カネをつかわなくてもたのしいことはあるとかいっているけど、貧乏くさくて気持ちわるいんだよ。そんなことをいっているからはたらかないんだ。大人はみんなつらいおもいをしてカネを稼いで、それをつかうことに誇りをもっているんだ。貧乏はいやだ、貧乏はいやだ」。どうやら、わたしがショッピングにいっても、なにも買わないことがはずかしかったらしい。ごめんなさい。

もうすこしがんばってみよう。わたしはアルバイトの就活をすることにきめた。塾講に履歴書をたくさんおくる。「身命を賭してはたらきます」。たてつづけにおとされたが、今年の二月、ようやくひとつ採用がきまった。九月から週二回のアルバイトである。これで、年収は五〇万円だ。それから博士論文を出版してくれることになっていた夜光社の社長さんと連絡をとった。直接おあいして、まだ出版できないことをおわびした。すると、別のもので一冊かきませんかとすすめてくれた。ありがたい。専門にしている大杉栄の評伝をかかせてもらうことにした【注1】。九月までに大杉栄の評伝をかいて、そのあとアルバイトをしながら博士論文をすすめよう。わたしは大喜びでかの女に電話をした。しかし、またかの女は大激怒だ。「まだそんなことをいっているのか。アルバイトは仕事じゃないでしょう。おしえる仕事がやりたいなら、教員採用試験をうけて高校の先生にでもなれよ」。それでは研究をつづけられないというと、「だから研究なんてやめろっていってんだろ。わたしを愛しているなら、家庭を大事にしたいとおもうのなら、そのくらいはできるはずだ」とかえされた。それはできないというと、鬼みたいな罵声がとぶ。「あまえてんじゃねえよ。だいたい、おまえみたいなのをあまやかして育てた親がわるいんだ。人間としておわっている。死ねばいいのに」。それ以来、わたしはかの女とちゃんとはなすことをやめた。ゴールデンウィークがあけたころ、かの女から連絡があって、いっしょに「新しい村」にいくことになった。婚約指輪をかえされた。わたしはプレゼントされた時計を気にいっていたので、もらってもいいかときいた。かの女がいいよというので、お礼をいった。おおきく手をふってわかれた。わかれぎわ、わたしはめずらしくおおきな声をだしてこういった。「結婚できるといいですね」。精一杯のいやみである。

矛盾恋愛のはてに

ながながと自分のはなしをしてしまったが、同年代でおなじような経験をしたというひとはおおいのではないだろうか。ほんとうはただ相手のことをたいせつにおもっていただけなのに、結婚というものを意識した瞬間から、自分のことばかりを考えるようになってしまう。しらずしらずのうちに、いわゆるカップルの役割を演じていて、それをこなすことが相手のためだとおもいこんでしまう。それがたがいに自分を犠牲にするものであったとしてもである。むしろ自分がこれだけのことをしているのだから、相手もこれくらいはしてくれないとこまるとおもいがちだ。たがいに負い目に負い目をかさね、見返りをもとめるようになる。生きることが負債になる。生の負債化だ。そして、この負債をかさねていると、いつのまにか純粋に好きだという気持ちが損得勘定にすげかわってしまう。自分のことなんてほうりなげて、相手のためになにかしたいとおもっていたのに、それが自己利益にかわってしまう。しかも、その自己利益が愛情の名のもとに肯定されるからたちがわるい。わたしたちは自分のことしか考えていないのに、あたかも美しい利他的な精神の持ち主であるかのようにふるまってしまう。

この間、わたしは自分の恋愛が破綻していくのをかんじながら、ずっと伊藤野枝の文章をよんでいた。ちょうど大杉栄の評伝をかいていたということもあるが、そればかりでない。伊藤ほど結婚の問題につきあたり、あがいてはうちのめされ、あがいてはうちのめされ、それでも自由奔放にいきぬいて、みずからの思想をつむいでいったひとはいないとおもったからだ。ここですこし、伊藤の思想をかりて結婚について考えてみたい。伊藤は、一八九五年、福岡県今宿生まれ。一九一〇年に上京し、上野高等女学校にすすんだ。二年後に卒業し、親や親戚の決めた相手と結婚するが、どうしてもいやで逃げだした。女学校の恩師であった辻潤をたよる。そのまま辻と結婚するが、辻はこの件が問題になって学校をクビになった。以後、辻はいっさいはたらかない。伊藤は、辻とのあいだに二児をもうけ、さらに『青鞜』に寄稿して家計をやりくりした。伊藤はいちやく有名人になるが、辻がほかの女性と関係をもったことで夫婦仲はさめてしまう。一九一六年、大杉栄と恋愛関係になり、伊藤は家をでるが、大杉にも妻と愛人がいたため、四角関係におちいった。この年、大杉が愛人に刺されて重傷、スキャンダルとして報じられる。その後、大杉と生活をともにし、執筆活動のかたわら五児をもうけた。一九二三年九月、関東大震災後の混乱のなかで、大杉や甥の橘宗一とともに憲兵隊に殺されてしまう。

伊藤は、みずからの恋愛経験を矛盾恋愛とよんだ【注2】。恋愛そのものが矛盾をはらんでいるということである。当初、伊藤は強制された結婚をいやがった。好きでもない相手に嫁がされ、夫やその家族のために自分を犠牲にしなければならないことが、いやだったのである。世間的には、それが女のしあわせであるかのようにいわれているが、そんなものは迷信や習俗にほかならない。だから伊藤は女学校時代にあこがれていた辻のもとにはしり、いわば自由な結婚をしたわけであるが、じつはここからがほんとうの地獄であった。家庭にはいり、よき妻として夫をささえ、義理の母や妹にたいして気をつかう。家計のために原稿をかきたいが、そのために本をよもうとすると、そんなヒマがあったら子育てか、夫の世話をしろとどやされる。夫のために妻が犠牲になるのはあたりまえだ。それが好きな相手であればなおさらである。どんなにつらくても、そうおもいこもうとしてしまうし、まわりにもそういわれてしまう。恋愛には、ふるい結婚の習俗をうちやぶる力がそなわっているが、ひとたび好きな相手と結婚すると、こんどはよりたちのわるい習俗へと変質してしまう。これにたえられず、伊藤は大杉のもとにはしるのだが、やはりいっしょに生活しはじめると、よき妻を演じようとしてしまう。大杉はいやそうだ。いったいなにが問題なのか。伊藤は、結婚そのものが問題であり、愛しあうものたちがたがいに同化しようとして、家庭に収斂していってしまうことが問題であると考えた。

愛し合って夢中になっているときには、お互いにできるだけ相手の越権を許してよろこんでいます。けれども、次第にそれが許せなくなってきて、結婚生活が暗くなってきます。もしも大して暗くならないならば、大抵の場合に、その一方のどっちかが自分の生活を失ってしまっているのですね。そして、その歩の悪い役まわりをつとめるのは女なんです。そしてその自分の生活を失くしたことを『同化』したといってお互いによろこんでいます。そんなのは本当にいいBetter halfなのでしょうけれど、飛んだまちがいなのですね【注3】。

伊藤によれば、結婚の起源は奴隷制であった【注4】。もともと一夫多妻制のもとでは、女性は奴隷としてあつかわれ、カネや家畜、食糧と交換することのできる商品であった。戦争捕虜とちがって寝首をかかれることもないし、身のまわりの世話から農耕までやってくれる。男性にとってこれほど有用な財産はない。だから、男性にとって妻をたくさんめしかかえることが裕福さのあかしであり、社会的承認をえる方法であった。近代にはいると、一夫一婦制になり、あからさまに女性をものあつかいすることはできなくなったが、その本質はなにもかわっていない。男性はみずからの財産に執着し、女性にたいして貞操をもとめる道徳をつくりあげたり、それを強制するために姦通罪という法律をつくったりする。もちろん、男性は夫として妻や子どもをやしなわなくてはならないわけであり、それができなければ捨てられても文句はいえない。そういう意味では、男女ともに他人ととりかえ可能なものになっているのであるが、それでも両者の格差はあきらかである。女性ははたらいてもいいといわれているが、工場労働は男性に劣るといわれ、事務仕事は家事みたいなものだからといわれて低賃金である。生きてはいけない。だったら労働という地獄よりも、多少ましな地獄である家庭をえらんだほうがいいかもしれない。愛しあうものたちは同化して家庭をきずこうとするが、それは夫や妻のように、みずからを交換可能な役割に還元してしまうものでしかなく、しかも女性のほうが男性よりもはるかに奴隷的な役割をおしつけられているのである。

伊藤は、こうした矛盾恋愛をこえる視点を子育てのなかでやしなったと述べている。もちろん、子育てには家事労働という側面があり、自分の生活を犠牲にさせられているという感もある。だが、とうぜんそればかりではない。

子供が発育していく様子をじっと見ていると恐ろしくなってしまう。かれらの小さな頭には何事でも知ろうとする注意と熱心で一杯になっている。特異なものに感ずると大人の気付かない木の葉の一片にでも熱心な注意を向ける。そうして、あらゆる事を知り、そしてそれを自分のものとなしおうせるまでは幾度でも根気よく同一のことを繰りかえし繰りかえしやってみたり或はいってみている【注5】。

大人は子どもを自分の所有物だと考えている。家庭の一部とみなし、自分のおもうがままに育てようとしてしまう。将来、社会的に有用な人材になるように教育をほどこそうと。だが、ほんとうのところ、子どもの成長のしかたはそういうものではない。はたからみたら、なにが重要なのかまったくわからないようなものに夢中になって、時間をわすれてなんどもなんどもおなじことをくりかえす。まわりのことなんて気にせずに、ただ自分の力を成長させていくことに貪欲になっている。自分はあんなこともできる、こんなこともできるとかんじられるのがうれしくてたまらない。これからなにものになるのかなんてわからない。しかしわからないからこそ、なにものにもしばられず、自由奔放になってとんでもない力を発揮する。いつだって予測不可能なものに成長していくのである。伊藤は、こうした子どもの成長のなかに、真の生命のうごきがあると考えた。それは畏敬の念をおぼえるべきものであり、自分もそれにふれてみたい、そのよろこびをともにわかちあいたい。子どもになって子どもをおもう。それが子どもを育てるということなのではないか、伊藤はそんなふうに考えたのであった。

これは恋愛関係にもいえることだ。どんな恋愛であっても、それが結婚を想定しているかぎりにおいて、たがいの生きかたを夫や妻の役割に切り縮めざるをえない。わたしたちは恋をすればするほど、みずからの生をすり減らしてしまう。だが、恋愛には習俗や迷信をたちきって、ひたすら相手のことをおもいぬく力がそなわっている。相まわりのことなんて気にしない。自分の社会的地位なんてすべてかなぐり捨てて、相手のためになんでもしたいとおもう。おそらく、それは子どものようになるということでもあるし、子どもをおもうようなことでもあるのだろう。見返りなんてもとめない無償の心。だが、油断をしていると、この心は自分のパートナーのためだから、自分の子どものためだからと、みずからの所有物にたいする執着心にかわってしまう。

これをさけるためには、どうしたらいいのだろうか。伊藤のこたえは単純であった。友情だ。恋愛が無償の心にもとづいていたのだとしたら、その相手の心が他人にもむけられたとき、ともによろこんであげることができるかどうか。むろん、いうはやすし、おこなうはかたしだ。パートナーが夫や妻の役割を放棄して、自分のやりたいことだけにのめりこんでいたらどうおもうだろうか。あるいは、貯蓄もないくせに、他人のために無償の奉仕ばかりしていたらどうおもうだろうか。子どもの成長を見守るように、そんな相手の生の成長をともによろこんであげることができるかどうか。伊藤は、それをやるのが友情に裏づけられた恋であり、自分や他人の生命を尊重するということだと述べている。

私がこの年月の間に学んだことは『恋は、走る火花、とはいえないが、持続性を持っていないことはたしかだ』ということです。が、その恋に友情の実がむすべば、恋は常に生き返ります。実を結ばない空花(あだばな)の恋は別です。実が結ばれれば恋は不朽です。不断の生命を持っております。その不朽の恋を得ることならば、私は一生の大事業の一つに数えてもいいと思います【注6】。

元始、人間は豚であった。

元始、人間は豚であった。あるアナキストによれば、「家」とは豕（豚）に屋根をかぶせるという意味なのだという【注7】。家庭とは豚小屋のようなものであり、ひとは結婚をすると、みずからを豚小屋に囲いこみ、しらずしらずのうちに交換可能な家畜と化してしまうのだと。役にたつ豚か、それとも役にたたない豚か。わたしは徳島旅行にいってから、しばらく震災直後のことをおもいだしていた。原発が爆発して呆然とし、自宅でごろごろしていると、愛知県の友人から連絡があった。カネの心配はいらないから身ひとつでやってこい、家族や友人が心配なら全員なんとかするからだいじょうぶだと。ありがたい。いってみたら避難民がおおすぎて、一泊で別の友人宅にお世話になることになったのだが、そこでもやはり親切にしてもらった。わたしがやせこけていて、死にそうな顔をしていたためか、友人のお父さんがもっと食えといって、毎日、ゆで卵を二〇個くらいだしてくれた。あんなに卵を食べたのは、生まれてはじめてだ。お酒もいくら飲んでもいいよといわれて、焼酎を一本いただいた。大五郎。ベロベロだ。わたしは大杉栄を研究しながらも、いまいち相互扶助という概念にはピンときていなかったのだが、ようやくわかった気がした。おそらく、ふだんはありふれていて気づかないが、ほんとうにこまったときにありがたみをかんじる生の無償性。役にたつとか、役にたたないとか、そういうことではない。豚小屋を逃げだした豚どものつどい。それが相互扶助というものなのだろう。

よく考えてみると、わたしがかの女を好きになったのは、カメのかたちをしたメロンパンをもらったからであった。まわりでおこっていることなんてなにも考えずに、わたしのためにパンを焼いてきてくれたのがうれしかった。その無償の行為のなかに、いとおしさをかんじたのであった。だが、世間的には、わたしのように愛知県に逃げたことも、かの女のようにムダにパンを焼いたことも、たんなるパニックでしかないのだろう。東日本は放射能にまみれて、もはや復興なんてできやしないのに、なぜか「がんばろう、日本」とよびかけられ、その基盤は家族の絆だとかいわれている。復興のために役にたて。そのためには放射能でさわいではならず、たとえ身内が病気になったとしても、日本のためだからとよろこんでたえなくてはならない。それをささえるのが家族であると。異様なくらい、家族の重要性が喧伝されている。かくいうわたしも被曝こそいやがりながらも、家族言説におどらされたひとりである。かの女が好きだから、結婚のためだからと自分にいいきかせて、アルバイトの就活をしたり、ショッピングモールにいったりしてしまったのだから。矛盾恋愛。まるで自分は家族の構成員として役にたつとアピールしていたようなものだ。けっきょくそれさえもみとめてもらえなかったのであるが。

しかし、復興が声高にさけばれる一方で、ガイガーカウンターを手にもち、各地で放射能汚染を計測する活動がひろまったのもたしかである。この活動には、自分の身をまもることばかりでなく、あきらかに自滅的な要素がはらまれている。ここはあぶないですとさわいだら、近所のひとたちからは白い目でみられるし、除染がほとんど不可能である以上、かんぜんな解決策は移住しかないのだから。ひとたび計測をはじめたら、じっさいにどううごくかは別として、世間にのぞまれていた、あるいは自分たちがおもいえがいていた家庭生活を放棄せざるをえない。いちどあたまを空っぽにして、あたらしい生をつかみとる。まわりにどういわれても、おまえは迷惑だとか、役たたずだとかいわれても、自分の身近なものたちをまもりぬこうとおもう。とりかえのきかない無償の心。かつて伊藤野枝はこういった。

忘れないでください。他人にほめられるということは何にもならないのです。自分の血を絞り肉をそいでさえいれば人は皆よろこびます。ほめます。ほめられることが生き甲斐のあることでないということを忘れないでください。何人でも執着を持ってはいけません。ただ自身に対してだけは全ての執着を集めてからみつけておきなさい。私のいうことはそれだけです。私は、もう何にも考えません【注8】。

豚小屋に火を放て。燃やしつくしたそのはてに、とてつもなくおおきな力がやってくる。不満足な人間であるよりも、満足な豚になったほうがいい。合コンにいきたい。

（注1）栗原康『大杉栄伝——永遠のアナキズム』（夜光社、二〇一三年）。

（注2）伊藤野枝「矛盾恋愛論」（『定本　伊藤野枝全集　第二巻』學藝書林、二〇〇〇年）を参照のこと。

（注3）伊藤野枝「『或る』妻から良人へ——囚はれた夫婦関係よりの解放」（『定本　伊藤野枝全集　第三巻』學藝書林、二〇〇〇年）二五六頁を著者がひらがな多めの

現代かなづかいにした（以下引用部同様）。

（注4）伊藤野枝「貞操観念の変遷と経済的価値」（『定本　伊藤野枝全集　第三巻』學藝書林、二〇〇〇年）を参照のこと。

（注5）伊藤野枝「偶感二三」（『定本　伊藤野枝全集　第二巻』學藝書林、二〇〇〇年）二四二頁。

（注6）伊藤野枝「私共を結びつけるもの」（『定本　伊藤野枝全集　第三巻』學藝書林、二〇〇〇年）三五八頁。

（注7）高群逸枝「家庭否定論」（『高群逸枝語録』岩波書店、二〇〇一年）を参照のこと。

（注8）伊藤野枝「遺書の一部より」（『定本　伊藤野枝全集　第一巻』學藝書林、二〇〇〇年）一二二頁。

甘藷の論理
——うまい、うますぎる！

はたらかないで、たらふく食べたい。

去年（二〇一三年）の九月から、ひっちゃかめっちゃかにはたらいている。火曜日と土曜日、週二回のアルバイトである。正直、こんなにたくさんはたらいたのは、生まれてはじめてだ。やっているのは塾講師。いわゆる就職予備校の先生である。いまだに定職についたことがないので、わたしなどが就職について語っていいものかとおもってしまうが、とにかくちゃんとはたらいている。授業自体はたのしいものだ。きまった内容をおしえて、学生とおしゃべりをしてくる。しかし、通勤時間が長すぎるためだろうか。埼玉の実家から西千葉の塾まで、片道三時間ほど。深夜一二時ころ家に帰ってくると、もう身も心もぼろぼろだ。

とくに最初の二カ月はきつかった。せっかく就職予備校ではたらくのだし、社会人の論理に徹してみようとおもったのだ。きっと社会人というのは、稼いだカネでやりくりをするものなのだろう、はたらかざるもの食うべからず。そうおもっていたのだが、なかなかうまくはいかない。当初から計画は挫折してしまった。そもそも、電車賃がないのである。西千葉まで、往復二五〇〇円。しかも、塾の給料がでるのは二カ月目からだという。まいった。結局、わたしは親から小遣いをもらって塾にかようことにした。だが、それ以外でカネをつかうわけにはいかない。わたしは社会人だ。そう自分にいいきかせて、夕食もとらずに家に帰っていたのだが、三週目くらいだっただろうか、帰り道、とちゅう駅で体がふらふらして、ぜんぜんうごけなくなってしまった。力がはいらない。ベンチで休憩をとり、ゆっくりと家に帰った。なんだろう、これは。ふと風呂あがりに体重をはかってみると、なんと四八キロ。三週間で、五キロ減である。やばい、死ぬんじゃないのか。

ちょうどその翌日、近所のおばさんがうちの畑でとれたんだよといって、サツマイモをたくさんもってきてくれた。わたしはどうせ地元のイモなんてセシウムまみれだろうとおもい、親にむかっておれは食わねえといっていたのだが、毎日、ふかしたイモをほおばっている親の姿をみて、食べたい衝動に駆りたてられた。そして、アルバイトの当日、つい魔がさしたのだろう、ふかしてあったイモをこっそりとカバンにいれて、いそいそと西千葉の塾にむかった。授業のまえに、ガツガツとイモをむさぼり喰う。うまい、うますぎる。体中にエネルギーがしみわたっていくのを感じた。ああ、これが食べるということか。いままでとは別人のように体がうごく。快感だ。それ以来、わたしは我慢するのをやめてしまった。せっかく実家にいるのだから、イモでもなんでももっていけばいいじゃないか。はたらかざるもの食うべからずとか、そんなことをいうのは食べるよろこびをしらない輩である。はたらかないで、たらふく食べたい。こうして、わたしは社会人であろうとすることをやめてしまった。

サツマイモを植えました。

そんなことがあってから、さいきん、ちょっと暴れん坊将軍を再評価してもいいのではないかとおもいはじめている。いうまでもなく、暴れん坊将軍とは、八代将軍、徳川吉宗のことである。おさないころ、吉宗はわたしのあこがれのまとであった。松平健、扮する吉宗がカッコよかっただけなのであるが、とにかく毎週のように心をおどらせていたのをおぼえている。だが、中学生のころ、わたしは吉宗に幻滅してしまった。教科書をひもといてみると、質素倹約とかケチなことしかかいていない。やったといわれている政策をみても、目安箱とか、子どもみたいなことしかやっていない。ほんとうに名君だったのだろうか。もうすこしあるだろうとおもい、教科書をめくってみると、享保の大飢饉に必死になってたちむかったとかいてある。おお、すごい。じゃあ、なにをやったのか。たったの一行だ。「サツマイモを植えました」。ダメなんじゃないのか。長年、そうおもっていたのだが、この間、心からサツマイモに感謝していたせいか、吉宗、いがいにやるじゃないかとおもうようになっている。

江戸時代、武士が収奪の対象としていたのはコメであった。たくさんの農民がおなじような場所にあつめられて、とにかく水田稲作をやらされる。どんなにとれだかがよくても、五割から六割は年貢である。なぜコメだったのか。武士が白米好きであったというのもあるかもしれないが、もちろんそればかりではない。あきらかにコメがいちばん管理しやすかったのである。見晴らしのいい平地に生えた黄金の稲穂。どんなに農業にうといい武士であっても、パッとみればどれだけ収穫があるのかわかってしまう。農民はごまかそうとおもってもごまかせない。しかも、水田には灌漑事業が必要になるため、武士はたまにそれを指揮するだけで、自分たちは農民をまもっているのだといいはることができた。ほんとうは年貢がほしいだけなのに。とはいえ、この収奪には致命的な欠点があった。一カ所に稲穂が生えていると、害虫やイナゴが発生しやすく、ちかくに植えてあったほかの作物もふくめて、いっせいにダメになってしまうのだ。作物ばかりではない。おなじ場所にひとがあつまっていると、ちょっとしたことでウィルスがひろまり、ひとがバタバタと死んでしまう。とてもキケンである。

これにたいして、サツマイモはいつでもどこでも、だれでも簡単につくることができる。疲弊した大地でもとれるから、そこらへんに種をまいておけば、放っておいてもどんどんそだつ。しかも地中に埋まっているから、そのまま埋めておけば武士に気づかれず、収奪されることもない。イナゴにやられることだってないし、群れずに近所のサツマイモでも食っていれば、インフルエンザにかかることもないだろう。しかも、むやみやたらとうまいときている。無敵である。だが、武士からしたらそんなのたまったものではない。みんながサツマイモを食べはじめたら、なにもとりたてることができなくなってしまうからだ。サツマイモを植えるのは、田畑を捨てて逃散するにひとしい。

だから、武士であれば、ふつうサツマイモを植えることを取り締まりこそすれ、奨励などしないはずだ。だが、吉宗はちがう。おそらく、飢饉にさいして各地の農民が自発的にサツマイモを植えはじめていたのだろう。そのプレッシャーをうけたからか、それともたんなる人道的な配慮だったのか、吉宗は部下にカネをあたえて、サツマイモの研究までさせている。もしかしたら、これは幕府にとって自殺行為だったのかもしれない。国家というものが弱い人間をはたらかせて、その収穫をむしりとるものだとしたら、サツマイモはそれにさからうための武器でもあったのだから。だが、それでも吉宗はこういった。国家なんかよりも、ひとの安全のほうがぜんぜん大事。名君だ。

わたしは去年、サツマイモにいのちを救われたこともあって、このありがたみがほんとうによくわかる。いま仕事をするということは、自分の身体を稲穂のように収奪させることだとおもうのだが、しかしあまりにキツすぎて過労死してしまうひともいれば、心がめちゃめちゃになって自殺してしまうひともいる。仕事がなくて、腹ペコで死んでしまうひともいるだろう。稲作はキケンである。どうしたものか。わたしは率直にこうおもっている。はたらかないで、たらふく食べたい。はたらきたくないからといって、貧乏でいたいとか、禁欲的な生活でもいいとか、そういうわけではない。わたしはただ安全に、そしてうまいものを食べて生きていきたいのだ。黄金の稲穂よりも、土に埋まった真っ黒なイモでありたい。「冥きより冥き途にぞいりぬべき、はるかに照らせ山の端の月【注1】」。サツマイモを植えました。

（注1）和泉式部の詩。「わたしは欲にまみれ、真っ黒に染まっております。これからもっと黒くなっていくことでしょう。それでも光を照らしてくれるというのでしょうか、仏さま」という意味。

地獄へ堕ちろ

――ヘイトスピーチか、それともスラムの念仏か

排外主義者、きらい

極楽にいきたい。さいきん、そんなことを考えている。正確にいえば、極楽はいくものではなくて、つれていってもらうものかもしれないが、とにかくいってみたいとおもっている。東日本大震災くらいからだろうか。おおくの友人たちが放射能をさけるために、関西に移住していった。そんな友人たちから、東北・関東にいるとすぐに死ぬよ、西がいいよといわれすぎたせいだろうか、だんだんと感覚がマヒしてきて、ふとした瞬間にこうおもってしまった。西方へ、西方へ、あれ? そういえば、西方には仏さまがおわしますって、どこかにかいてなかっただろうか。こうして、わたし

は仏典を読みふけり、極楽のとりこになってしまった。じっさい、極楽というのはすごいところだ。極楽にいくと、みんな「〇〇仏」とよばれるのだが、そうなったらもう一日中、ごろごろしていていいらしい。のどが渇いたら、どこからともなく二〇〇〇人の天女が飛んできて好きな飲み物をついでくれる。これでよろこぶのは男子だけかもしれないが、とはいえなんだかたのしそうだ。あとは、ヒマつぶしにほかの仏でもたずねて、好きなだけおしゃべりして帰ってくればいい。部屋にもどってまたごろごろ、極楽だ。

そんなことばかり考えていたからだろうか。この数年、あまりデモや抗議行動にいっていなかった。いってみたいとおもうのもあったのだが、午後一時開始とか、ぜんぜんまにあわない。起きられないのだ。遅れてもいいからとおもい、がんばっていってみたこともあったが、わたしは生来の方向音痴だ。たいていはデモ隊をみつけられず、けっきょくおわったあとに友人たちと合流し、お酒をごちそうになって帰宅する。だいたい、そんな感じだ。それはそれで極楽みたいでよかったのかもしれないが、なんだかちょっとものたりない。そんななかで、めずらしくはじめからまにあったのが、一年くらいまえ、在特会のヘイトスピーチデモに反対する抗議行動だ。いってみれば、まあひどい。新大久保をねりあるき、朝鮮人でてけだの、死ねだの、ゴキブリだの、キムチくさいだの、もういいたいほうだいだ。いっしょにいった友人たちは、かんぜんにキレてしまい、大声をあげながら食ってかかろうとするのだが、いかんせん、みんなわたしとおなじようにひょろひょろしていてむだに弱い。デモ隊をまもっている警官に一瞬ではじきとばされているのがみえた。いたそうだ。

ふとまわりをみわたすと、歩道にいる大勢のひとたちがデモ隊をおいかけ、罵声をあびせかけているのがわかった。なるほど。わたしもいっしょになって、中指をつきたて、「レイシスト、死ね」とさけんでみた。すると、デモ隊の側から「わたしたちはレイシストではありません、ファシストなのです」と返ってくる。めんどうくさい。わたしはとりあえず、「死ね、死ね」とさけぶことにした。一〇分くらいして、つかれてしまい、いやあ、歳だねといいながら、友人とタバコ休憩をとっていると、デモ隊の後方からみょうなプラカードがみえてきた。こうかいてある。「仏を返せ」。なんてバチあたりなことをいうのだろう。わたしはそれをみて、おもわずあたまにきて大声をだしてしまった。「ほっ、ほっ、ほとけ!」。隣にいた友人は苦笑していた。でも、わたしは本気だ。いったい、仏を返せとはどういうことなのだろうか。あの排外主義者たちは仏を所有できるとでもおもっているのだろうか。たぶん対馬の仏像が韓国にもっていかれた件だとおもうのだが、正直、仏がどこにいこうとひとのしったことではない。自由だ、仏なのだから。そんなあたりまえの感覚さえもうしなってしまったからこそ、なんでもかんでも商品のようにあつかい、ひとり占めにしたり、交換したり、優劣をつけたりすることができるとおもってしまうのではないだろうか。排外主義というのも、きっとそういうことなのだろう。仏は所有できない。「パパの手。ママの手。ボクの手。やっぱり手がでる万引き野郎【注1】」。あらゆる区別に反対しよう。

逃散(ちょうさん)の思想

しかし、そもそも仏っていったいなんなのだろう。この間、わたしがよんでいたのは、鎌倉時代のお坊さんで一遍上人だ。一遍上人といえば、平安中期に浄土教をひろめた空也上人を先達とあおぎ、踊り念仏を披露しながら、全国を遊行してまわったことで有名である。その生きかたがおもしろくて、映画になったりもしているのだが、そればかりでなく、思想もまたおもしろい。さきにもいったように、極楽にはたくさんの仏がいる。なかでも、一遍上人をはじめ、浄土教のお坊さんが信仰しているのが阿弥陀仏だ。アミダとは、無量寿や無量光明を意味することばで、いってみれば無限につきることのない慈悲の光のことである。なんの見返りももとめずに、万人を救おうと手をさしのべる。ようするに、そこかしこにある無償の行為がアミダである。

浄土教の経典によれば、阿弥陀仏は、仏になるまえ法蔵菩薩とよばれていた。法蔵が名前で、菩薩というのが、悟りをひらこうとしている修行僧のことだ。法蔵はあたまがよかったのかなんなのか、かなりはやい段階で悟りをひらいていて、ほかの仏からもう極楽にきていいよ、仏になってもいいよといわれていたらしい。でも、法蔵はがんとしていうことをきかない。いやいや、けっこうですと。どうしてだときかれると、こうこたえたらしい。たとえわたしが仏になれたとしても、この世のすべての人びとが救われないならば、わたしは仏にならないと。かっこよすぎる。法蔵は、そのおもいを四八の誓願にまとめあげた。うち、一八番目が有名で、こうかかれている。わたしの名をよんでくれているのに、そのひとが救われないのならば、わたしは仏にならない。これが専修念仏の論拠になった。南無阿弥陀仏。阿弥陀仏に帰依しますという意味だ。一遍上人の師匠筋にあたる法然上人は、これに注目して、むずかしい修行なんてやらなくてもいいよ、念仏をとなえればいいんだといったのである。かんたんだ。

しかし、一遍上人はここからさらにはなしを展開する。法蔵菩薩は、すでに阿弥陀仏とよばれるようになっている。ということは、あらゆる人びとはもう救われているといってもいいのではないだろうか。阿弥陀仏の慈悲にふれて、極楽につれていかれている。極楽にいるということは、みんな仏になっているということだ。よく考えてみると、世のなかのほとんどの行為は、無償の行為でなりたっている。目のまえで、だれかひとが倒れていたら、とっさに手をさしのべてしまうものだろうし、そこら辺でだれかが物を落としたらひろってあげるものだろうし、おもしろいとおもったことがあったら夢中になってそれをおしえてしまうものだろう。それで結果的にお礼をもらうことになったとしても、はじめから見返りをもとめてなにかするひとはあまりいない。なにをするにしても、たいていはなにも考えていないのである。

そういえば、ついさいきん、友人がろくに食事もとれず、路上で行き倒れになってしまったのだが、気づいたら見知らぬおじいさんに介抱されていたらしい。べつにおカネはとられなかったそうだ。慈悲である。ひとばかりではない。獣や植物だって、その身をただで食わせてくれたりする。山河草木、ぜんぶそうだ。みんな仏になって、恩に恩を、ほどこしにほどこしをかさねていく。どこもかしこも慈悲だらけ。あとはそれに気づけばいいだけだ。

　むかし、空也上人へ、ある人、念仏はいかが申すべきやと問いければ、「捨ててこそ」とばかりにて、なにとも仰せられずと、西行法師の撰集抄に載せられたり。是誠に金言なり。念仏の行者は智恵をも愚痴をも捨て、善悪の境界をもすて、貴賤高下の道理をもすて、地獄をおそるる心をもすて、極楽を願ふ心をもすて、又諸宗の悟りをもすて、一切の事をすてて申す念仏こそ、弥陀超世の本願に尤もかなひ候へ。かやうに打ちあげ打ちあげとなふれば、仏もなく我もなく、まして此内にとかくの道理もなし。善悪の境界、皆浄土なり。外に求むべからず、厭うべからず。よろづ生きとしいけるもの、山河草木、ふく風たつ浪の音までも、念仏ならずといふことなし。人ばかり超世の願に預かるにあらず【注2】。

だが、せっかく阿弥陀仏の慈悲が身のまわりにあふれていたとしても、ひとはそれに気づかない。きっと、ただ恩をうけることにたえられないのだろう。自分が生きのこるために、まわりを犠牲にしてしまっている。いちどそこに負い目をかんじてしまったら、ひとはどこかしらの教団の奴隷になってしまう。これだけ恩恵をうけたのだから、これだけの功徳をつんで、それにむくいなくてはならない、正しい功徳のつみかたをおしえてくれる教団にしたがおう、そうしないのは恩知らずだと。あるいは、武士でも貴族でも支配集団がそうだとおもうのだが、自分のおこないに負い目をかんじすぎて、そこから目をそらしてしまう人たちもいる。まわりのほどこしで生きていくのは恥ずかしいことだ、殺生をしてでもなにをしてでも、自分の身は自分でまもらなくてはならない。はたらけ、出世しろ、よりよい衣食住を手にいれろと。いずれにしても、ひとのふるまいに善悪優劣の区別がつけられる。一遍上人が、空也上人をうけて「捨ててこそ」といったのは、この区別を捨てろといったのである。

ほんとうは、ひとによくしてもらったって、ありがとうといってヘラヘラしていればいいだけなのに、なんだかビビってしまって、恩を返そうとするからとんでもないことになる。まわりを犠牲にしてきたのだから、自分も犠牲になってそれに報いなくてはならない。これだけのことをしたら、これだけの見返りが必要だ。はたらいて対価をもらう。白石嘉治さんによれば、これを犠牲と交換のロジックというらしい【注3】。善悪優劣をきめるシステムができあがり、そのなかでしか生きられないとおもいこまされる。一遍上人の時代であれば、農業をやれといわれて、みんなおなじような土地に囲いこまれ、他人の目線を気にしながら、家畜のようにはたらかされるのだ。たまらない。

だいたい、慈悲に優劣をつけて、恩を返せだの、返さないだのいっているのはおかしいのではないだろうか。まさか仏を管理できるとか、所有できるとかおもっているのではないだろうか。一遍上人は、こういった。衣食住などクソくらえ。そんなことばかりいっていると、地獄に堕ちるぞ。わたしはもうはたらかない。武士みたいな支配集団が、ひとを衣食住に囲いこもうとするならば、これはもう逃げだすしかない。土地を捨て、財を捨て、家族も捨てて、全国各地をあそんでまわろう。ぜんぶなげ捨てて、仏のほどこしに身をゆだねればいい。なむあみだぶつ。一切合財、アミダにまかせた。捨ててこそ。

ちょっと仏のはなしがながくなってしまったが、それもこれも国家のはなしをしてみたかったからだ。さいきん、ジェームズ・スコット『ゾミア』をよんだのだが、この本によれば、古代国家の特徴は水田稲作をやらせることにあるという【注4】。水田稲作はうまくいけばとれだかがよいし、よい倉庫でもつくっておけば、ながらく保存しておくこともできる。支配者にとってはすごく便利であり、戦争するにしてもなんにしても、その蓄積がおおければおおいほどつよいことになる。だが、水田稲作は人手がかかり、しかもむちゃくちゃ重労働である。だから、支配者は暴力をもちいて農民を囲いこみ、むりにでもはたらかせなくてはならなかった。そうして年貢を、税をむさぼりとる。それが国家だ。こうした収奪のために、水田稲作はほんとうに適していたようで、平地に水田がならび、収穫期になると黄金の稲穂がぴょんぴょんとはえてくる。ようするに、支配者からすれば、ぱっと見ただけでとれだかがわかるし、管理するのが超らくちんである。

逆に、農民からすれば、今年の収穫はすくなかったとウソをついてチョロまかすことができないし、しかもはたらきやすいようにといわれて、水田ちかくに住まわされ、稲穂とおなじように支配者に見張られている。きつい。もちろん、それだけでは反乱がおこってしまうから、国はカネをかけて、ため池をつくったり、灌漑事業をおこなったりして、水田をつくったのは自分たちであるかのようなそぶりをしている。さらに、武装を強化して、おれたちはおまえたちのためにほかの国から水田をまもってやっているのだ、おまえたちはおれたちがいなければ、衣食住さえみたすことができないのだといえば、農民たちはそうかと納得させられてしまうだろう。

ほんらい、支配者が富をむさぼるために、むりやりはたらかせていただけなのに、農民たちは徐々に奴隷根性をうえつけられていく。国家のおかげではたらけているのだから、ご恩にむくいなければいけない。これだけはたらいて、これだけほめてもらおう。ひとのふるまいが交換のロジックではかりにかけられる。苦役だ。もちろん、そんなのいやだといって、逃げだした人びともたくさんいる。古代中国では、おおくの人びとが東南アジアの山岳地帯に逃げこみ、山々を転々としていたという。国家の追手をかわすために山でイモをうえたり、焼畑をやったりした。地上にたかくそびえたつ黄金の稲穂とはちがって、地中のイモはみつかりにくいし、焼畑はちょくちょく移動しながらやるから、やはりみつかりにくい。なにより水田稲作とは異なり、イモはほうっておいてもがんがん育っているし、焼畑だって草木を伐採して火を放っておけばこやしができている。かんたんだ。

役人にみつけだされたら、なんのためらいもなく土地を捨てて、とんずらすることができる。ジェームズ・スコットによれば、こうした逃散農民が山賊とよばれたのであり、東南アジア方面にひろがっていった山賊の生活地帯をゾミアというのであった。どんな山賊になるのかは、まちまちだったようだ。いわゆる山賊のように、武装して略奪をなりわいとしたり、国家ととりひきをして自治区をつくったりする人たちもいれば、イモや焼き畑を武器として、権力にひびわれをおこしていく人たちもいた。一遍上人のように、仏門にくだって遊行するひともいれば、修験者や仙人のような格好をしてふらふらしている人たちもいただろう。とにかく、どんな手を駆使してでも、国家の囲いこみから逃れようとする人びとをゾミアというのである。

たぶん、ついさいきんの一九七〇年くらいまで、国家のかたちはそんなに変わっていなかった。近代国家にしても、労働者を工場に囲いこむことに必死であった。工場の管理自体はそれぞれの企業がやるのだろうが、みんなをおなじようにはたらかせるために行政がテコいれをしたり、工場でひとをはたらかせるために、社会福祉から住宅環境、教育機関、情報通信、交通網にいたるまで、都市環境の整備にちからをいれたりした。日本でいうと、それが東京というところなのだろう。さいしょは都心部から、戦後にはいると埼玉、千葉、神奈川までふくめて、東京郊外といえる場所に、ニュータウンでもなんでも、国がカネをかけて生活環境をととのえ、マイホームをたてさせたり、都営住宅、団地をたてたりしてきた。目的は、むかしからただひとつ。しっかりと税金をむしりとるためだ。だが、一九七〇年くらいから、国はここにカネをかけなくなってしまった。工場労働をふくめて、ひとがじっさいにどうはたらくかなんてどうでもよくなったのだろう。いまだったら六本木ヒルズだろうか、金融資本の拠点があればいい。あとは金融の内容でもあるが、住宅でも車でも教育でも、ローンをかかえた人たちが、借りたものは返さなくてはならないと、負い目をかんじていうことをきいてくれれば、それでいいのである。

東京郊外は見捨てられた。団地は廃墟と化し、築二〇年、三〇年もたったマイホームはゼロ円の価値もなくなっている。埼玉、千葉、神奈川の土地で、さらに駅からもとおいならば、おそらくカネをもらったってひとは買わないだろう。それにくわえて、いまでは放射能である。自給自足もできやしない。メディアからつたわってくる情報は、想像もしなかったような犯罪ばかり。みとめるしかない。この見捨てられた土地、東京はスラムなのだと。たぶん、これをみとめたくない、目をつぶりたいとおもう人たちが、とんでもないことになっている。正直、ほんとうに貧乏を経験してしまえば、肝がすわってしまうとおもうのだが、もうすこしカネのある人たちがビビってしまうのだろう。数千万のローンをくんで、東京郊外にマイホームやマンションを購入した、そしてこんなにがんばって何分の一か返してきたのに、うすうす自分がスラムの住人であることがわかってしまう。なんで自分だけがこんな目にあうのだろう、こんなにがんばってきたのに、こんなにがんばってきたのにと、見返りをもとめる心だけがエスカレートしてしまう。だれがわるいのか。スラムのイメージになっているホームレスやひきこもりがわるいのであり、不法就労者や移住労働者がわるいのだと。きっと排外主義というのは、こういうところからでてくるのだろう。

念仏をとなえるゾミア

さて、ここまで好きなことをかいてきてしまったが、じつのところ本稿の依頼は、萱野稔人さんの『ナショナリズムは悪なのか』【注5】を批判してほしいというものであった。かんたんにまとめると、この本にはヘイトスピーチデモにたいして、わたしたちはどういうことをいえばいいのかということがかかれている。萱野さんの解答は、とてもシンプルだ。排外主義がうまれるのは、国民生活が不安定だからである。国家が労働者にカネをかけなくなり、貧しい人たちが増えたからこそ、移住労働者に仕事をうばわれる、追いだしてしまえという言説がうまれるのである。だから、左翼の人たちは、あたまごなしに排外主義者を批判するのではなく、おなじ国民だとおもって、ともに国家からよい政策をひきだし、国民生活を安定させることにつとめましょうと。そういうのである。

たぶん、こういうはなしに賛成する政治家やメディアはおおいのだろう。でも、わたしはちょっとものたりないとおもう。なぜ、排外主義がうまれるのか。それは自分が犠牲者だという意識がつよいからであり、自分の行動に対価や見返りをもとめる心が、過剰なまでにエスカレートしているからである。その根幹にあるのは、とうぜんながら国家である。ほんらい、仏のように恩に恩をかさねていただけのひとのふるまいが、支配者によって管理され、善悪優劣の区別をつけられる。仏が所有され、犠牲と交換のロジックがうまれたからこそ、自分の行為に見返りをもとめることが一般化してしまったのである。

ヘイトスピーチは根絶しなくてはならない。国家から逃げだし、あらゆる区別に反対しよう。よく考えてみると、肝さえすわってしまえば、それがやりやすい時代にきているのかもしれない。むかしは、山にまで逃げこまなければならなかったのに、いまではそこら中が見捨てられ、スラムになっているのだから。どこもかしこも、ぜんぶスラムだ。そう考えると、なんだってできる気がしてくる。だが、それでも国家にしがみつこうとするのが、排外主義者。かれらにたいして、わたしたちはいったいどんなことばをなげかければいいのだろうか。みんなおなじ国民ですとか、そんなことをいわれたら、まずはツバをはきかけよう。そして、耳をすませてみよう。そこかしこのスラムから、ゾミアの念仏がきこえてくる。地獄へ堕ちろ。山河水木、ふく風、たつ浪の音さえも念仏ならずということはなし。東京スラム戦争のはじまりだ。

（注1）平岡正明『犯罪あるいは革命に関する諸章』（大和書房、一九七三年）一〇頁。とくに意味はないが、ゴロがよいので引用してみた。所有なければ万引きもなし。そんなところだ。

（注2）『一遍上人語録――付 播州法語集』（岩波書店、一九八五年）三四―三五頁を筆者が表記を改めた。

（注3）白石嘉治「苦役のサブカルチャー」（『インパクション』一九五号、インパクト出版会、二〇一四年六月）。

（注4）ジェームズ・C・スコット『ゾミア――脱国家の世界史』（みすず書房、二〇一三年）。

（注5）萱野稔人『新・現代思想講義　ナショナリズムは悪なのか』（NHK出版、二〇一一年）。

他人の迷惑かえりみず

――心得としての高野長英

わたしは親孝行だ

わたしは親孝行だ。さいきん、はじめてあうひとにはそんな自己紹介をしている。小さいころからずっとそうだ。三五年間、うまれてこのかた実家暮らし。親子三人で、埼玉県に住んでいる。ひとり、三つ上の兄がいるのだが、すでに結婚してほかのところに住んでいる。わたしが外出をするのは、週二日か三日、アルバイトをするときだけだ。老いた両親にとっては、これほどこころづよいことはないだろう。家の収入は、ほとんどが親の年金。ぜいたくをしなければ、なんとかやっていける。いや、ちょっとウソをついてしまったかもしれない。すこしはぜいたくもしていて、一日に一本、

「麦とホップ」の黒を飲ませてもらったり、何カ月かにいちどくらい、かっぱ寿司につれていってもらったりしてきた。まあ、ゆるされる範囲だろうか。

ちなみに、さいきんはちょっとくやしいのだが、あまりかっぱ寿司にはいけなくなっている。なにせ、食べられるネタの数が激減してしまったのだから。おそるべき放射能。もうサーモンしか食えやしない。だから、いまのわたしのぜいたくは「麦とホップ」、ただそれだけだ。いじわるな友人からは、おまえが飲んでいるのはビールじゃない、偽物のビールだといわれることもあるのだが、わたしにとっては本物以上のビールである、うまいのだ。わたしの身体のおよそ九割は、「麦とホップ」でできているといっても過言ではない。ということで、なにがいいたかったかというと、わたしは親孝行だということだ。三五年間も親といっしょにいて、むりなぜいたくをいったりもしない。えらいのだ。

ともあれ、わたしは三五歳で年金生活者。親の年金のおかげで生きていられる。年金、だいじ。そうおもっていたのだが、すこしまえに親から衝撃の事実をしらされてがくぜんとしてしまった。いつだったろうか、朝昼晩と異様に食事のおかずがすくなかった。ちょっとすくないくらいではない、むやみやたらとすくないのである。たくわんと納豆。あとは白米だけである。江戸の武士かよ。これはあんまりだとおもい、もうすこし食べたいのだけれどみたいなことをいってみたのだが、親がとうとつにこうきりだした。「だれのせいだとおもってんだ」。うーん、なにかしただろうか。

はなしをきいてみると、どうも親の年金から、わたしの年金がさしひかれたらしい。わたしはヘラヘラしながら、「なんだ、そんなの、息子がしはらうべきだといって、断ればいいじゃないか」といってみたのだが、親はさらに怒ってしまった。「そうじゃない、強制なんだ」と。たとえ、子どもが低収入で国民年金をしはらうことができなかったとしても、子どもが親と同居していたならば、国は世帯主、つまり親から年金を強制徴収することができるようになったというのである。しかも、さいしょは親もびっくりして、いやいやと突っぱねたらしいのだが、役場のひとかなんかに、「子どもがはらえないんだから、親がはらうのはあたりまえでしょう」と大声をだされたらしい。はずかしめだ。それで泣く泣くしはらってきたというのである。

じゃあ、いくらしはらったのか。親にきいてみると、年間一七万円だという。えぇっ、わたしはその額をきいてびっくりしてしまった。わたしはいまでこそ年収が八〇万円になったのだが、当時は一〇万円ほどしかなかった。国はそこから一七万円もむしりとろうとしていたのだろうか。この間、わたしは大学の奨学金が借金であることにいろいろと文句をいって、借金はひとを奴隷のようにするからよくないとか、そういう文章をかいたりしてきたのだが、それどころのはなしではない。ただのいじめじゃないか。親はこっぱ役人にやいのやいのいわれ、わたしは親にやいのやいのいわれる。なにより、わが家のおかずが減ってしまった。さんざんだ。わたしは生きているだけで、なにかわるいことでもしているのだろうか。もしかして、わたしは親不孝な人間なのではないだろうか。うまれながらの親孝行が、とつぜん親不孝に転落である。わたしはショックをうけて、三日くらい部屋でゴロゴロしてしまった。やりきれない。

年金の起源

どうしたらいいか。というか、そもそも年金っていったいなんなのだろうか。あら手のヤミ金かなにかなのだろうか。そうおもって、インターネットで検索してみたところ、その理念について、こんなふうに説明してあった。「これは相互扶助のための制度なのです」。うん？　わたしはアナキズムを研究していて、クロポトキンの『相互扶助論』という本をなんどもよんだのだが、こんな弱い者いじめみたいなことをやれとはかかれていない。むしろ逆だ。強きをくじき、弱きをたすけるのが相互扶助である。いったい、なにがおこっているのか。そうおもって、もうすこしインターネットをながめてみると、こうかかれていた。「年金とは、未来のリスクのために、みんなでおカネをだしあっておく制度なのです」。なんだかわかったような、わからないような説明だ。ようするに、歳をとったら肉体的にあまりはたらけなくなるかもしれないから、わかいうちにうんとはたらかせよう、未来のぶんまではたらかせてしまおうということなのだろうか。けっきょく労働じゃないか、しかも過重労働だ、強制労働だ、それができなければ借金だ。ひどすぎる。

これはちょっと年金制度を批判しなくてはいけない。そうおもって、さらにパソコンをバシバシとうっていると、その起源にあたるものがわかった。無尽講(むじんこう)と頼母子講(たのもしこう)。ネットの記事をよんでいると、ねずみ講の起源でもあるとかいてある。やっぱりか。これはけちょんけちょんにけなしてやるしかないとおもっていたのだが、しかしよくよくよんでみると、そんなにわるい制度ではないことがわかってくる。どうも無尽講や頼母子講というのは、鎌倉時代にはじまった民衆レベルの相互扶助で、江戸時代になって一般化したものらしい。地域によってちがうのだが、だいたい一〇人一組になって、講という組織をつくる。それで毎月のように会合をひらいて、みんなでカネをだしあって共同資金をつくり、それがひとりの手にわたるようにする。それが無尽と頼母子だ。分配方法はいくつもあるのだが、代表的なものがふたつあり、ひとつははじめからくばる順序をきめておくというものだ。たとえば商人であれば、その職種によって仕入れの時期など、まとまったカネがいる時期がことなる。だから、それぞれ必要なときにカネがまわるように、はじめから順番をきめておこうというのである。もうひとつが、くじ引きである。とくに説明の必要はないかもしれないが、だれもが宝くじ的なよろこびをあじわい、しかも平等にカネがもらえるようにしようというのである。この方法にはギャンブル性がともなうため、倫理的な非難にさらされることもあったが、それでも、いやいや、だからおもしろいんじゃないかと、大勢の庶民のこころをわかせていたようである。

正直、これだけきいていると、いがいといいんじゃないかとおもえてしまう。任意で、まとまったカネがほしいひとにカネがまわるようにしたり、月に一回のたのしみとして、バクチをやらせてもらえたりする。それがひとのたすけになったり、せっかくバクチに勝ったのだから運がある、あたらしいことでもはじめようと、ひとの自由をうながしたりしてくれるのである。いいじゃないか。調べていたら、だんだんとこの制度をいかして活躍したひとがしりたくなってきた。さらにインターネットで検索をかけてみると、ひとり有名な知識人の名前がうかびあがってきた。高野長英。江戸末期、日本でいちばんすぐれた蘭学者だ。すっごく、おもしろいひとであることがわかってきたので、ちょっと紹介してみたい。

もっと勉強がしたい

高野長英は、一八〇四年、岩手県の水沢にうまれた。九歳のときお父さんが亡くなったこともあって、おじさんの高野玄斎にひきとられた。おさなくして、そうとうあたまがよかったのだろう。玄斎にみこまれて養子にむかえられ、しかも一人娘の千越(ちお)と婚約をしている。玄斎は蘭方医で、かつて江戸に留学して、杉田玄白のもとでまなんだこともあるひとだ。その影響もあってか、長英はわかいころから蘭学をまなび、一八二〇年、一七歳にもなると、玄斎からはもうなにもまなぶことがないほど蘭学をきわめていた。もっと勉強がしたい。そんなとき、兄の江戸留学がきまった。うらやましい。長英は、オレもいきたいとうったえる。でも、玄斎はゆるさない。おまえは千越と結婚して、ここで医者をやればいいのだと。ずるいよ、ずるいよ。長英は、江戸にたつ兄をみおくりながら、やりきれないおもいにうちひしがれた。

ちょうどそんなとき、無尽講の会合があった。養父の玄斎がカゼでたおれ、かわりに長英が出席する。くじ引きだ。ひょいとくじをひくと、大当たり。一五両ももらってしまった。わーい。こんな大金、目にしたことがない。ぴょんぴょん跳ねながら、小判をながめていると、ふと、こころの声がきこえてきた。とんずらだ、とんずらしかない。長英は、一五両をふところにいれて水沢をでた。いそいで、江戸にむかっていた兄をおいかける。途中でおいつくと、兄はびっくりしてこういった。「あれ、お父さんが反対してなかったっけ？」。すると、長英はしたり顔でこういった。「お父さんはオレにこんなに期待してくれるんだぜ、ほらっ」といって、ピカピカの小判をひろげてみせた。うわあ、すげえ。ひとのいい兄は、すっかり信じこんでしまった。ふたりでいっしょに江戸にむかった。

江戸につくと、長英は江戸でいちばんの蘭学者をさがした。吉田長淑（ちょうしゅく）。日本初の西洋内科医だ。もともと、日本では漢方医のちからがつよく、西洋医学はあまりみとめられていなかったが、江戸末期にもなると、だれがどうみても外科は西洋医学のほうがすぐれているんじゃないかということで、西洋外科医はみとめられるようになっていた。内科は漢方医、外科は蘭方医。だが、そこにわってはいったのが吉田長淑である。いやいや、もうそんな区分けはやめましょう、どちらに内科があってもいいでしょうと。仕事をうばわれるとおもった漢方医に、いくらどやされてもやめはしない。気骨あるひとだ。じっさい、あたらしいことをはじめるだけあって、吉田の西洋医学の知識はハンパないものであった。江戸随一だ。長英はかれに師事し、蘭方医としての腕をメキメキとあげていった。すぐに一番弟子になっている。じつのところ、長英の本名は譲（ゆずる）というのだが、ここで師匠の一字をもらって、長英と名のっている。

しかし、それにしても養父の玄斎は、よほどいいひとだったらしく、ムリに長英をつれもどそうとはしなかった。おさないころから、長英が天才であることはわかっていたわけだし、カネをもちにげしてまで勉強がしたいなら、とことんやってこいという気持ちもあったのだろう。そういう気持ちにつけこんだのか、長英はカネがなくなるたびに、養父に手紙をおくり、江戸でいちばんの医者になるからといって、なんども仕送りの催促をしている。無尽講の影響だろう。カネは天下のまわりものだくらいにおもうようになっていたのかもしれない。

でも、そんな長英も、しだいに雲行きがあやしくなってくる。一八二三年、江戸滞在中に兄が病気で亡くなってしまったのである。薬代やらなんやらで、仕送りだけではたりなかったため、長英は借金をせおって看病をした。江戸で開業をして、借金を少し返した。はたらけど、はたらけどカネはなし。これはもう養父にたよるしかない。いちど水沢にもどって、カネをくれというが、養父は会ってもくれない。しかたがない。はたらこうとおもい、江戸にもどってみると、どうもその間に火事があったらしく、江戸の診療所が焼けおちている。まじかよ。たのみの綱は、もう師匠だけだ。さっそく吉田宅をたずねてみると、どうも葬式らしきものをやっている。長淑が亡くなったらしい。こりゃもうだめだ。長英はあたまをかかえた。

どうしたものか。そうおもっていると、吉田塾の兄弟子が長英におしえてくれた。どうも長崎にシーボルトという医者がやってきたのだという。ただの医者ではない、博学多才でなんでもしっている。しかも、幕府おかかえで鳴滝塾（なるたきじゅく）というのをひらいていて、塾生になれば生活費も保障されるという。いきたい、でも長崎にいくカネなんてない。ただでさえ、借金で火の車だ。そういうと、兄弟子がこういった。なにをいっていやがるんだ。おまえは学問がしたいんだろう、おまえはもう江戸でまなぶことなんてなにひとつないじゃないか、学問で天下をとれ、なにがなんでも長崎へいくんだと。そんなことをいわれたら、もう火がついてしまう。長英は知人宅をわたりあるいた。カネを貸せ、カネを貸せ。どうせもう借金漬けなのだから、いくらか借金をしたってもおなじことだ。もちろん、養父からもカネを借りる。一年で水沢に帰るから、カネを貸してくれ。ウソっぱちだ。借金に借金をかさね、長英は長崎にむかった。

長崎につくと、長英はすぐにシーボルトの内弟子になった。もちろん、医学もおそわるのだが、いちばんの作業は論文をかくことだ。シーボルトが日本研究をしたいというので、それを手伝った。オランダ語で論文をかいてみてもらう。これで長英の語学力は飛躍的にのびた。鳴滝塾では、塾生が卒業論文をかくのだが、長英は捕鯨についての論文をかき、シーボルトからドクトルの称号をもらっている。その間、一八二七年に養父が亡くなり、親戚から水沢にもどってこいといわれるが、長英はことわっている。田舎がイヤだとかそういうことではない。もっと勉強がしたい、まなべばまなぶほど、もっと勉強したくなってしまう。もう学問のとりこになっていたのだろう。

一八二八年、長英、二五歳のとき、たまたま旅行にでかけていると、長崎からシーボルト事件のしらせがはいった。どうも国外にもちだすのが禁じられていた日本地図を、シーボルトが帰国船にのせていたらしい。鳴滝塾の塾生たちが続々とつかまっていく。やばい。長英は逃げた。これからどうしたものか。そんなことを考えていると親戚がやってくる。家を継げと。ムカついた長英は、すぐさま書状をしたためた。絶縁状だ。どうかもう、わたしのようなものとは縁をきってくださいと。許嫁(いいなずけ)の千越にも、すまないという手紙をかいている。ちなみに、千越はおさななじみであり、兄妹でもあり、恋人でもあった。いろんな意味で、長英のことが好きだったのだろう。だが、長英はそんなことおかまいなしだ。一八三〇年、江戸にもどり、開業して蘭学の塾もひらいた。実の母親だけをよびよせて、いっしょにくらす。ともあれ、江戸ではシーボルトの愛弟子(まなでし)がやってきたとおおさわぎだ。ようやく、長英がちやほやされるときがやってきた。

いのち捨てます

一八三二年、長英は江戸でひらかれていた学者のつどいに参加しはじめた。尚歯会。そこには医者ばかりでなく、水戸藩の藤田東湖や田原藩家老の渡辺崋山なども参加していた。このころ、外国船がどんどん日本にきていた。なにがおこっているのか。国内外の政治情勢をしりたい政治家たちが、蘭学者におしえをもとめにきていたのである。長英にとっては、自分の学問がいかせる場所ができたわけだから、よほどうれしかったことだろう。洋書を読みふけり、じゃんじゃんいろんなことをおしえてあげた。それで調子にのってしまったのか、長英は『戊戌夢物語』と題して、幕府の異国船打払令をこきおろす文章をかいている。夢でみたという体裁にして、幕府が日本の漂流民をつれてきてくれた外国船に砲弾をあびせかけたことを批判したのである。もちろん出版したわけではない。おもてだって、幕府批判をしたら殺される。そうではなくて、尚歯会のメンバーに回覧してもらい、酒でも飲みながらグチをいいあおうとおもっていたのである。だが、この本が幕府のはなった隠密によってもちさられ、尚歯会のメンバーは大弾圧をうける。

一八三九年、まず渡辺崋山がつかまった。幕府批判ばかりでなく、無人島渡航計画をたてていたとか、わけのわからないことをいわれて、地元、田原藩で蟄居（ちっきょ）の身となった。長英は、オレはなにもしていないからだいじょうぶだといって、奉行所に自首してみたのだが、すぐに判決がくだり、無期懲役になってしまった。ありえない。なんども嘆願書をだすが、ききとどけられない。長英は医者であったこともあって、牢内で重宝されたのだが、くやしくて、くやしくてたまらない。なにより外が心配だ。実母はだいじょうぶだろうか。実母は故郷の水沢にもどることになったのだが、それきり連絡がとれない。友人に消息をたずねると、イヤな情報ばかりがはいってくる。渡辺崋山が切腹したとか、元許嫁の千越が亡くなったとか、義理の母親も亡くなったとか、そんなことばかりだ。オレは親不孝なのだろうか。鬱屈したおもいだけがつのっていく。外にでたい、親にあいたい、本がよみたい、翻訳がしたい、もっともっと勉強がしたい。

それから五年後、看守の栄蔵が長英にはなしかけてきた。「うちの母親が病にふせっています。どの医者もたすからないというのですが、なんとかたすけてもらえないでしょうか」。長英は症状をきいて、この薬を買って飲ませろと指示してあげた。すると数日後、すっかりよくなったといって、栄蔵が泣きながらお礼をいってきた。「わたしになにかできることはないでしょうか、先生のためなら命だって投げすてます」。長英は、いいよそんなのといいながらも、ぽそっと本音をもらしてしまった。ひと目でいいから、故郷にいる母親にあいたい、外にでたい、親孝行がしたい、この牢獄が火事になればでられるのにと。それをきいた栄蔵は、ヘイといってその場をたちさった。

数日後、牢の物置に火がはなたれた。火事だ。一時退避ということで、四人はみな解き放たれた。やったぜ。役人たちは、三日以内にもどってくれば、減刑してやるぞとかいっているが、しったことではない。長英は走ってにげた。母親のいる故郷にむかう。途中で、栄蔵がはりつけにされたという情報がはいってきた。ありがとう、かんべんしてくれ。長英は母親との再会をはたした。四二歳の親孝行。その後、長英は全国各地を転々としている。いまでも正確な逃亡ルートはわかっていない。わかっているのは、いっとき愛媛県の宇和島藩にまねかれて、オランダの兵法書を翻訳したり、弟子をもうけて教育にあたったりしていたことくらいだ。とはいえ、けっこう仕事をしている。だが、なかなかひとつの場所にとどまってはいられない。長英のうわさをきけば、幕府の追手がせまってくる。ほんとうのところ、たいしてわるいことはやっていないのに、なぜか第一級の政治犯だ。どうしようか。長英は、ひとのおおい江戸にもどることをきめた。いまでいう整形だろうか、あたまをツルッツルにまるめ、顔半分を薬品でやき、風貌をかえて町医者になった。しかもいつのことだかわからないが、好きな女郎を身請けして、妻としてむかえいれている。子どもは三人、娘ひとりと息子ふたり。逃亡生活ながら、けっこうしあわせなくらしをしていたのである。

このままこうしてくらしていけばいいか。そうおもっていたが、幕府もそんなにあまくはない。一八五〇年一〇月三〇日、なにものかに密告され、奉行所の役人に自宅を襲撃された。幕府側の正式な記録では、長英がもう逃げきれないといって、自害したことになっているが、ほんとうはそうではなかったらしい。襲撃にたちあった者の日記によれば、大勢の役人が長英宅におしいったところ、長英は「じゃあ奉行所にいこうか」と、おとなしくお縄につこうとしたという。すると、役人たちは「うるせえ、このゴロツキが」といって、みんなでとりかこみ十手でバシバシと乱打した。この時点で、長英は死んでいたらしい。役人たちは「あれ、こいつうごかねえぞ」といいながら、ゴムみたいになったその体を縄でグルグルまきにし、奉行所まではこんでいった。享年四七。これが江戸時代、もっともすぐれた蘭学者の死にざまだ。ちなみに、長英の死後、子どもたちは母方のおじさんにひきとられたのだが、娘は吉原に売りとばされ、女郎になった。一八五五年、安政の大地震で死んだという。火事だろうか。「埋もれ木の花咲くこともなかりしに身のなる果てぞ悲しかりける【注1】」。ちくしょう。

当たりくじ、ひきました

さて、おもいきり脱線してしまったが、はなしたかったのは、これがほんとうの相互扶助だということだ。無尽講。いまの年金制度のように、未来のぶんまでひとをはたらかせようとしたり、うむもいわさずに強制的にカネをはらわせようとしたりはしない。いちどカネをむしりとられると、ひとはしらずしらずのうちに奴隷のような感情をうえつけられてしまうのだから。いくらはたらいていても年金払いのために毎年一七万円なければ、ダメなやつだとおもわされるし、親と同居していれば、カネがないだけで親不孝といわれてしまう。ほんとうはカネがなくたって、家でゴロゴロしていたり、たまに親の肩でももんであげたり、家事手伝いでもすれば、それで親孝行なのである。それなのに、いまの年金制度は、親子の情までふくめて、ひとのよしあしをすべてカネできめてしまう。ひとがひとを愛するということが、かんぜんに軽んじられている。

もちろん、ひとにはまとまったカネが必要なときだってある。ちょっと病気になったり、身内に不幸があったり、お祝いごとがあったり、子どもを大学にいれたいとか、おおきな事業でもやってみようとか、そういうときだってあるだろう。あるいは、やりたいことがカネにならないことだったりして、少額でもいいから定期的にカネがほしいことだってあるだろう。そういうときにカネがまわるようにするのが相互扶助である。どれだけ稼ぎがあって、どれだけカネをおさめたから、これだけの見返りをとかそういうものではない。ただやりたいことがあるときに、ただやらなくてはならないことがあるときに、カネをもらえるようにするのが、相互扶助である。

もういちど、高野長英をおもいだしてみよう。かれのように、江戸で勉強がしたいけれどもいかせてもらえず、なんともいえないおもいになってしまうひとがいる。親もほんとうはいかせてやりたい、わるいとおもうけれども、金銭的にいかせてやれるのは長男ひとりだけだ。長英も父親にたいして、これまでそだててくれた恩はわすれない、ありがたいとおもうのだけれど、でも兄ちゃんだけ江戸にやらせるなんてずるいじゃないかと、そんなふうにおもってしまう。そんなとき、当たったのが無尽講であった。カネが天からまいおりた。長英はなんのためらいもなく、勉強につかった。もしかしたら、吉原とかであそんでしまったかもしれないが、それはちょっとおいておこう。ようするに、親が子どもをおもう気持ちや、子どもが親をおもう気持ちが、なんともいえずギュッとおしこめられていたときに、その感情をはちきれさせて、やりたいことをやらせてやろうというのが相互扶助である。この場合、好きなことをやったのは子どものほうであるが、正直、子どもが好きなことをやって、よろこばない親なんていないだろう。親孝行だ。

なにより、長英がすごいのは、一七歳のときにもらった無尽講の感覚を、死ぬまで手ばなさなかったということだ。もっと勉強がしたい、でもカネがない。かれは人生でなんどもそういう目におちいっているのだが、そのつどよみがえったのは、カネは天からふってくるという感覚であった。コツコツはたらいて、五年後、一〇年後にどうこうとか、そういうことではない。やりたいことがあったら、カネを借りてでもなにをしてでも、いますぐにやるのである。ムリではない、そういうとき、ひとはおのずとひとに手を差しのべてしまうものなのだ。なんの負い目もかんじずに、好きなことをやってしまえばいい。長英がもっていたのは、天才的な頭脳ばかりでなく、相互扶助への絶対的信頼であった。他人の迷惑かえりみず。それが相互扶助の神髄だ。きっといまの年金制度だって、そういうものでなくてはならないのだとおもう。そうだ、親孝行がしたい、勉強がしたい、カネがほしい。未来のぶんまではたらかされるのではなく、未来のぶんまでカネがほしい、いますぐに。年金もらって、走って逃げろ。これは夢物語にすぎないのだろうか。当たりくじ、ひきました。

（注1）源頼政の詩。「わたしはこの埋もれ木のように、花咲かせることなく朽ち果てていくことでしょう。きっと、この実をならせることもありません。悲しすぎる」という意味。辞世の句だ。

お寺の縁側でタバコをふかす

——大逆事件を旅してみれば

タバコ、すごい

わたしは喫煙者だ。べつに告白することでもなんでもないかもしれないが、そうなのである。自宅では両親が大のタバコぎらいなので、外出したときにちょいちょい吸っている。ほんとうは論文をかいていて煮詰まってしまい、たまに散歩でもしながら吸いたくなるときもあるのだが、わたしのようにいい歳をした中年がフラフラしていると、近所のひとに通報されてしまう。もしかしたら、都心にすんでいるとそんなことはないのかもしれないが、わたしがすんでいる埼玉などでは、そういった相互監視のプレッシャーがやたらとつよい。だから、吸いたいときはじっとがまんしてもだえ苦しみ、どうしてもやばいときはヴェポラップをつかう。わたしはマルボロ・メンソールライトを吸っているので、いがいとメンソールをハナにぬるとごまかせるのだ。そう考えると、わたしはニコチン中毒というよりもメンソール中毒なのかもしれない。まあまあ、そんなわけで、わたしはふだん吸えないぶん、外出したときはなによりタバコを楽しみにしている。でも、いまの世のなか、なかなかうまくはいかない。友人とあっていても、煙がダメなひとのまえではさすがに吸えないし、外にでても路上喫煙禁止のところがけっこうある（二〇二〇年の今はほとんど路上で吸えなくなってる。ひどい！）。わたしがたまたま、ひとに怒られやすいだけなのかもしれないが、ほんとうによくタバコのことでは因縁をつけられる。たとえば、あるときお店でタバコが吸えないので、外にでて店先で吸っていたときのことだ。どこからともなく五〇代くらいのおっさんがやってきて、わたしにどなりかかってきた。「あなた、自分がなにをやっているのかわかっているんですか」。こういうとき、わたしはいつもヘラヘラしてしまう。むこうはさらに怒ってしまって、すごい剣幕で「道路ですよ、公共の、道路ですよ」という。わたしはめんどうくさいので、さっとしゃがみこみ、地面でジュっとタバコの火を消した。すると、そのおっさんは「ああっ」と声をあげ、「な、なんてことをするんだ。道路が、道路が」とさけんでいる。なんなのだろう。ちょっと怖いので、すぐにお店に逃げこんだ。ただスースーしたかっただけなのに。やっかいだ。

どうしたものか。わたしはタバコについて考えるとき、いつも矢部史郎さんの議論をおもいだす。かれがすごいのは、二〇〇〇年代初頭、東京で路上喫煙禁止条例ができはじめたときに、道路にタバコのすいがらをまきちらせ、とキャンペーンをはっていたことだ【注1】。かれは問いかける。なぜ、へんちくりんな条例ができたのか。それは健康増進のためではないし、ましてやタバコの火があぶないからでもない。危険性からいったら、自動車やバイクのほうがあぶないだろう。じゃあなぜかというと、それは道路のほうが人間よりも偉くなってしまったからである。禁止条例がではじめたころ、それに賛同したマンションの住人やらなんやらが、こんなことをいっていたらしい。タバコは有害で、くさくて、きたならしい。だからタバコを吸うひとがいなくなって、ポイ捨てもなくなれば、街全体がクリーンになり、イメージアップにもつながる。そうすれば、街の商品価値をあげることにつながり、地価もあがるだろうと。まるで、それが住人たちの社会的ステータスをあげるかのように。

消費社会では、よくマイホームでもマイカーでも、どれだけよい商品を買うことができるのかが、人間の社会的ステータスをきめるといわれている。きっと道路もおなじことだ。どれだけよい道路をもつことができるのか。道路という商品が、人間の価値をきめる。人間よりも、道路のほうが偉いのである。矢部さんというひとは、そういうこともあって、道路にタバコのすいがらをまきちらせといっていたのだ。道路をバシバシとふみつぶし、人間と道路の主従関係をはっきりさせよう。自由にタバコを吸うということは、そのひとがその場で自由にふるまうということだ。いくらよごしたっていい、どうこうすべきという尺度なんてない、各人各様、好きにやってしまって、おもしろいとおもったものにつくりかえていけばいい。タバコというものは、きっとそういう解放感の象徴みたいなもので、自然とひとをよせあつめて、おもいきり自由なふるまいをさせてしまう。だから、裏をかえしていえば、タバコが有害だといわれているのは、健康上のことなんかではなく、あくまでタバコのヤニでよごされかねない商品世界にとってのことなのである。タバコ、すごい。尊敬だ。

大逆事件ツアー

わたしがあらためてタバコってすごいっておもったのは、二〇一〇年のことだ。じつは、この年、大逆事件（たいぎゃくじけん）から一〇〇年ということもあって、アナキストやら共産党員やら、社会主義に関心のある友人たちといっしょに、一五、六人で大逆事件ツアーというのをくんだ。大逆事件というのは、一九一〇年、幸徳秋水とその仲間たちが、天皇を爆弾で殺そうとし、のきなみつかまったとされる事件である。二四人に死刑判決がくだり、うち一二人が処刑、もう一二人は特別恩赦で無期懲役となった。この事件、すごいのはかんぜんにデッチあげだったことだ。当時、幸徳はむちゃくちゃ有名な社会主義者で、ちょっと学のあるひとだったらしらないひとはいなかった。明治政府は、そんなかれを殺したくて事件をデッチあげたのだ。

幸徳は、からだがとてもよわかった。だから、ちょくちょく高知県の実家に帰っていたのだが、事件の直前、東京にもどる道すがら、たまたま和歌山県の新宮（しんぐう）に足をはこんだ。お医者さんの大石誠之助（おおいしせいのすけ）や、お坊さんの高木顕明（たかぎけんみょう）が、有名人の幸徳をうんともてなす。そして、その二人も事件にまきこまれてつかまった。どうも大石が医者であったことから、爆弾のつくりかたをしっているとされたらしい。また、幸徳をよろこばせようとして、みんなで小舟にのって川下りにでかけたのだが、それが天皇を暗殺する密談の証拠だとされた。バカバカしい。バカバカしいが、それで死刑や無期懲役にされているからたまらない。しょうじき、幸徳周辺で爆弾をつくっていたひとはいたのだが、この人たちとは関係ない。後生（ごしょう）である。

そんなこともあって、せっかくだし、旅行がてら熊野や新宮もいいよねということで、ツアーをくんでいってみることにした。五月か六月くらいだったろうか。一泊二日で、まず初日は、熊野の湯の峰温泉に泊まる。湯の峰温泉は、一遍上人ゆかりの地で、「南無阿弥陀仏」とかかれた石碑がたっている。真偽のほどはわからないが、いちおうその文字は、一遍上人がツメでひっかいてかいたことになっている。温泉もおもむきがあって、かの有名な「小栗判官（おぐりはんがん）」の舞台になったところだ。わたしはまだそのころ、あまり仏教に関心がなかったのでしらなかったのだけれども、どうも「小栗判官」は、室町時代に時宗がひろめた説話らしい。時宗というのは、仏教の一宗派で、一遍上人を教祖とあおぐ教団である。ちょっとこのはなしをすると、テンションがあがってながくなってしまうかもしれないが、せっかくなのでものがたりをかんたんに紹介しておこう。

主人公は小栗。京都の名門、二条家の嫡男としてなに不自由なくそだった。この小栗、成人して嫁をむかえようとするが、なかなかよい娘にであえない。じつはかれ、だいの美人好きで、えり好みしすぎるのである。そんなとき、大蛇が小栗にひとめぼれして、美女に化けて誘惑してきた。わーい、小栗はあたりまえだといわんばかりに速攻で大蛇と関係をもった。子どもができる。大蛇は、自分の子どもをうむために、ひっそりとしたよい場所をみつけるが、残念ながらそこはほかの妖怪のすみかだった。大ゲンカだ。その影響であらしがまきおこり、人里にも被害をだしてしまった。それで、小栗は責任をとらされ、家からは勘当、常陸(ひたち)の国に追いやられてしまった。

しかし、さらにすごいのはここからで、反省しろといわれておもむいた常陸の国でも、またおなじようなことをくりかえしてしまったことだ。なんと、常陸の国をおさめる横山というおっさんの娘が美女だったのだ。照手姫(てるてひめ)という。ひとめぼれした小栗は、姫にラブレターをおくって求婚する。姫はしょうがないなとおもい、とりあえずいなすような返事をかいたのだが、小栗は返事をもらったことで、やったぜ、成功だとおもい、強引に部屋にのりこんで、そのまま婿入りしてしまった。ある種、逆バージョンの玉の輿だ。うらやましい。でも、これで怒ったのが父親の横山だ。オレのゆるしもえずにこのやろうと、ほんきでブチキレてしまう。そして、このキレかたがまたすごくて、なにをしたのかというと、小栗とその家来たちに毒をもって皆殺しにしたのだ。いうことをきかなかった娘にだって容赦はしない。横山は、息子たちに照手姫を殺すように命じたが、そこはかわいい妹である。どうしても殺すことができず、木箱かなんかにいれて川に流した。まあ、それはそれでひどいのだが。その後、照手姫は相模の国でひろわれ、奴隷のようにこきつかわれることになった。マジでかわいそうだ。

さて、ものがたりはここからが急展開。死んだはずの小栗が現世にもどってくる。どうも毒殺されて閻魔大王のもとへいったところ、こりゃかわいそうだねといって生き返らせてくれたそうだ。でも、さすがに閻魔大王。小栗は、みるもむざんな餓鬼のすがたになっていて、目もみえなければ、口もきけない、耳もきこえない。ウーウーといってもがいていたところを藤沢の遊行上人にひろわれた。遊行上人というのは、一遍上人の後継者のことで、藤沢には清浄光寺（しょうじょうこうじ）という時宗のお寺がある。上人は小栗のすがたをみて、ホッホッホ、これはこれはといいながら、餓鬼阿弥と名づけた。直球だ。上人は熊野の湯の峰温泉にはいれば、もとのすがたにもどるだろうといって、荷車に餓鬼阿弥をのせてはこびはじめた。まずは富士浅間神社までひいていく。それから参拝にきていた民衆にむかって、「この者を車にのせてはこべば、かならず仏の慈悲につつまれるぞ」とさけんだ。餓鬼阿弥のあまりのすがたに、みんなかわいそうだともおもったのだろう。やるしかないねといって、かわるがわる車をひきはじめた。東海道をこえて熊野にはいる。

とちゅう、餓鬼阿弥のうわさをききつけた照手姫は、それが小栗だとはまったく気づかずに車をひいた。あるきながら「なんだか、おまえのことは他人事ではなくてね、こんなすがたでもいいから、わたしの愛しいひとが生きていてくれればいいのに」といって、涙をぼろぼろとながした。泣けるはなしだ。あとはもうハッピーエンド。湯の峰温泉にはいった小栗は、かんぜん復活。もとのすがたにもどると、すぐにうわさがながれ、それをきいた天皇が世のなかにはそんなすごいことがおこるのかと、小栗を京によびよせた。天皇は、きてくれたほうびだといって、小栗に美濃、駿河、常陸の三カ国をあたえてくれた。やったね。小栗は、みずからの領地に照手姫をよびよせ、そしてにっくき横山をうちたおした。めでたし、めでたし。そんなはなしだ。

ちなみに、餓鬼のすがたになった小栗はハンセン病患者をあらわしているとも、障害者をあらわしているとも、被差別部落の人たちをあらわしているともいわれている。時宗は、一遍上人のおしえで「浄不浄をきらわず」というのがあって、当時、賤民とよばれ、差別されていた人たちも門徒にしていたので、そうした説話をつくったそうだ。いまでは、街頭でタバコをすうことも、ホームレスが公園にいることも、わたしのようなニートまがいが日中、外をふらふらすることもままならないというか、街という商品をよごしている、きたないといわれがちだが、そうやってひとを選別したり、区別したりするのはよくないということをうったえたのである。ひとに慈悲あれ、仏あれと。

さてさて、ほんとうにながくなってしまったので、「小栗判官」のはなしはこんなところにしておこう。大逆事件ツアーにはなしをもどすと、とにかく、初日は湯の峰温泉の旅館に泊まり、みんなでベロベロになるまで飲んだ。そういえば、これも余談になるが、旅館で夕食をいただいていたところ、となりの席で、みたことのあるひとがご飯を食べていた。南海キャンディーズのしずちゃんだ。しょうじき、ぼくらとしずちゃんしかいなかったので、みんな気づいた。わるいので声はかけない。でも、しずちゃんが食事をおえて席をたつと、もううわさ話がとまらない。やれ、お忍びの恋なんじゃないのかとか、いやいや傷心旅行だろうとか、もういいたいほうだいだ。もしかしたら、いまのわたしとおなじように、一遍上人が好きで、その旅館に泊まりにきていたのかもしれない。憶測だ。

お坊さんの手がのびた

さて翌日、わたしたちは新宮へとむかった。もともとは、大石誠之助のゆかりの地をめぐるくらいにしか考えていなかった。新宮には、大石の甥にあたる西村伊作の記念館や、同郷で大逆事件の影響をうけたとされる佐藤春夫の記念館など、みるべきところがたくさんある。でも、バスで移動しているさいちゅうに、友人が「あっ、ここ重要」と声をあげた。「栗原くんもぜったいにいきたいでしょう」といわれたので、よくわからなかったが、「うん」とこたえた。みんなでゾロゾロと途中下車をした。浄泉寺。高木顕明が住職をしていたお寺だ。高木は、真宗大谷派のお坊さんで、やはり幸徳をもてなしたことで無期懲役になった。大逆事件後は寺から除籍され、一九一四年、失意のうちに自殺した。ほんとうにかわいそうだ。

お寺のなかにはいってみると、大逆事件一〇〇年だったからか、高木を中心とするパネルが展示されていた。みんなで「おお、すげえ」とかいっていると、奥から住職がでてきて、わたしたちを歓迎してくれた。事件のあらましから、高木の思想までいろいろと説明してくれた。もちろん、いまではデッチあげだったことはわかっているので、真宗大谷派でも高木の名誉回復はなされているそうだ。さすがにお坊さんなのではなしがうまい、そしてためになった。でも、ふと魔がさしたのか、わたしはちょっとあきてしまい、ふらふらと席をたった。きょろきょろとあたりをみわたすと、お寺の入口、縁側のところに、いいぐあいに日がさしている。わたしはそこに腰をかけ、快晴の空をみあげてみた。やばい、気持ちいい。ボーっとしながら恍惚とした気分にひたり、ひょいとわれにかえってみると、なぜか右手にタバコをもっていて、しかも火がついている。息をはくと、ヒューヒューと白い煙がまっていった。タバコ史上、最強のうまさだ。

たぶん、おなじようなことを考えていたのだろう。横に目をやってみると、アメリカからきていたアナキストの友人が、やはりタバコをぷかぷかとふかしている。「いやあ、極楽だねえ」。友人はめちゃくちゃ笑顔だ。すると、においをかぎつけたのか、共産党の友人がやってきて、いきなりどなり声をあげた。「おまえら、自分がやっていることがわかっているのか。バチがあたるぞ」。そういうものなのか。友人と「チェッ」といいながら、火を消そうとしていると、さわぎをききつけた住職が駆けつけてきて、わたしたちをみるなり、こういった。「ほっほっほ。いいんですよ、心の底から安らいでいただくことが、寺の役割なんですから。自由に吸ってください」。わたしと友人はしたり顔だ。そのまま、ゆっくりとタバコをふかす。やがて灰のやり場にこまりはじめると、スッと横から住職の手がのびてきた。みれば灰皿がおかれている。なんていいひとなんだ。わたしたちは、心から感謝した。

よく考えてみると、一遍上人もそうなのだが、真宗の教祖である親鸞は、他力(たりき)のおしえを説いていた。修行や功徳をつんで、自分のちからで救いをもとめるのはよくないことだ。それは自分の行為に見返りをもとめるということであり、これだけやったのだから、これだけの報酬がみあっているとか、なんらかの価値尺度をもうけることである。それは善悪優劣のヒエラルキーをみとめるということであり、ひとがひとに支配されるということでもある。そういう自力をすべて捨てて、かんぜんなる自由に身をまかせよう。自分の努力によってとか、そういうことではない。それでは自力になってしまう。そうではなくて、親鸞によれば、ふとした瞬間に仏がスッと手をさしのべてくれるのだという。わたしたちは、仏にひょいと手をひいてもらって、一瞬にして極楽にいけるのだ。それが他力のおしえである。もちろん、このはなしだけだと、ちょっとどうやって手をひいてもらうのか、いまいちわからないかもしれないが、きっと住職がのばしてくれたあの手が、仏みたいなものなのだろう。

ツアーで印象にのこっているのは、そんなところだ。とてもありふれていて、ささいなはなしである。でも、わたしは、じつはこのお寺での経験は、タバコを吸うとはどういうことなのかを、よくあらわしているのではないかとおもっている。いま、わたしたちが道路でタバコを吸えないのは、人間の価値が商品によってきめられているからだ。どれだけカネをかせぎ、よい商品を買えるのか。商品世界のヒエラルキーによって、人間の優劣がはかられている。だれもがそのなかではいあがろうとして、もがき苦しみ、他人をけおとしていきている。そこからぬけだそうとしたり、ヒエラルキーそのものを否定したりすれば、すぐに排除の対象だ。自力である。たぶん、タバコを吸うということは、自力を捨て、他力に身をまかせようとすることなのだとおもう。しらずしらずのうちにひとが群れあつまり、道路でもなんでも商品世界とはまったく関係ないものとして、その空間をつくりかえてしまう。ひとによごれているといわれようが、きたないといわれようが関係ない。ひとにどう評価されるかではなく、ただ自由にふるまおうとすることが賭けられているのだから。きっとそこにはスッとのびてきたお坊さんの手のように、仏のちからみたいなものがはたらいているのだろう。わたしたちは、そのちからに身をゆだねつづけることができるだろうか。いつだって手はのびている。あとはそのつど、ひょいと極楽につれていってもらうだけのことだ。なむあみだぶつ。お寺の縁側でタバコをふかす。

（注1）　矢部史郎、山の手緑『愛と暴力の現代思想』（青土社、二〇〇六年）。

豚の足でもなめやがれ
――もののあはれとはなにか？

山形の名物はブタ

　さいきん、山形の東北芸術工科大学というところではたらいている。毎週金曜、非常勤講師の仕事である。とてもいい大学で、埼玉の実家から新幹線通勤をさせてくれるし、そればかりでなく、必要とあれば大学ちかくの教員宿舎にとまらせてくれる。しかも、ただの宿舎ではない。温泉つきのホテルみたいな宿舎である。わたしは大の温泉好きということもあって、ほんとうは朝五時に家をでれば授業にまにあうのだが、せっかくなので、前日の夜に山形にはいらせてもらっている。温泉につかり、テレビをみながらキンキンにひえたビールを飲む。たまらない。

大学の雰囲気もすごくいい。学生はむちゃくちゃまじめで、こっちがびっくりするくらい授業をきいてくれる。芸術系の大学というのもあるのかもしれない。みんなが小説家や漫画家、評論家になりたいということもあって、就活よりも文章をかくことや、そのための知識を身につけることに必死である。大学側もそれをサポートしようとしていて、教員は死ぬ気で文章をかけとはっぱをかけているし、わたしもいちどだけ就活講座をうけもったことがあるのだが、そのときなどは大学側から、こんなふうにいってほしいといわれた。定職につけなくたっていい、なんとかやっていけるのだから好きなことをやってしまえと。わたしのように中年になっても、ぶらぶらしているような人間がそういうことをいうと、説得力があるというのだ。わたしは調子にのってしまい、ほんとうにそういうはなしをしたのだが、学生たちはそりゃそうだよねといって、みんなウンウンうなずきながらきいていた。すごい、ぜんぜん日本じゃないみたいだ。

そういう大学であるから、教員が授業をするための環境もすごく充実している。授業用のプリントは、何枚でも刷っていいことになっているし、なにより非常勤講師なのにTA（ティーチング・アシスタント）がついている。プリントの印刷から配布まで、ぜんぶやってもらえるのだ。そのむかし、わたしは自分の師匠にたのまれてTAになったものの、めんどうになってしまってサボりまくり、カネだけもらっていたことがある。いまさらながら、わるいことをしたとおもっている。すぎたことだ。ちなみに、TAをやってくれているのは、二〇代後半の女性研究者。大学院の博士課程をでているので、いわゆるポスドクである。ちゃんと研究をしてきたひとだから、きっとわたしなどよりは、はるかにあたまがよいのだろう。

そんなひとが、大学にいくと、いつもVIP待遇でもてなしてくれる。わたしは、だいたい前日にビールを飲みすぎて、あたまがいたいとおもいながら、教員の控室にいくのだが、グッタリしてイスにすわると、なにもいわずにカリカリと豆をひいて、コーヒーをいれてくれる。うまい。体中の酒気がぬけていく。わたしはふだん無口なので、あまり自分からかの女にしゃべりかけたことはないが、いちどだけコーヒーをいただきながらはなしかけてみたことがある。そのとき、わたしはたまたまレイシストを批判する文章をかいていて、いいタイトルがおもいつかなかった。わるい人たちなので、罵声をあびせかけるようなタイトルがいいのだが、いかんせん、わたしはいつもきれいな言葉ばかりをつかうので、こういうときは「死ね」とか子どもみたいな言葉しかおもいつかない。それでTAの女性に、なにかいいのはないですかねとたずねてみたところ、すぐにこたえが返ってきた。「地獄へ堕ちろ」。うわあ。さっそく、それをタイトルにすることにした。参考のためにもうひとつくらい、いいのがあったらおしえてくれませんかというと、すかさずかの女はこういった。「豚の足でもなめやがれ」。すごい、どこからそんな言葉がでてくるのだろう。もしかしたら、山形の名物がブタであることと、なにか関係があるのかもしれない。ともあれ、ありがたい。

わたしが「なにかお礼でもしましょうか」といおうとすると、かの女はいそいそと自分の机にもどり、ひきだしからチップスターのフタをもってきた。どうもそれをあつめているらしい。いくつかあつめて応募すると、チェブラーシカというサルみたいなキャラクターのグッズがもらえるそうだ。さっきまでバシバシと口きたない言葉を発していたひととはおもえず、ちょっとめんくらってしまったが、なんとも素朴でかわいらしい。わたしは「了解しました。こんど友だちと飲むときはチップスターをつまみにします」とこたえた。もちろん、チップスターだけではダメである。さすがに、こんなによくしてもらっているのだから、ちゃんと授業をやらないわけにはいかない。

うけもっている科目は、政治思想と日本思想のふたつ。かんぜんに自分の専門ということもあって、いつもやる気まんまんで、何週間もかけて授業準備をしている。まじめだ。

源氏物語玉の小櫛(おぐし)

授業では、一回につき、ひとりの思想家をあつかっている。なかでも、いちばん力をいれたのが本居宣長だ【注1】。「源氏物語玉の小櫛」をよんだ。源氏物語の注釈書である。この本、よめばよむほどおもしろい。もとより源氏物語は世界最古の長編小説であり、おそらくその名をしらないひとはいないだろう。平安時代のなかば、主人公の光源氏がひたすらいろんな女性と恋愛をくりひろげる。そのはちゃめちゃっぷりがあまりにすごいので、いまよんでもほんとうにドキドキする。だが、本居がいきていた江戸時代のなかば、源氏物語は庶民レベルでもよまれるようになっていたにもかかわらず、いまほどおもしろおかしくよまれてはいなかった。解釈がひどかったからだ。

当時、物語をよみとく思想は儒教か仏教であった。どちらもみょうに説教くさい。

道徳をふりかざし、夫婦以外の男女が関係をむすんではいけないとか、俗世の恋愛や性欲はわるいものだとかいって否定したりする。だから、源氏物語というものは、光源氏の淫乱をえがき、さらにその後のゴタゴタや報いまでえがくことによって、男女がやってはいけないこと、ようするにタブーと戒律をしめしているというのである。つまらない。そして、どうよんでもムリがある。本居はこれにかみついた。大好きな源氏物語が、アホみたいな解釈のせいでだいなしだ。本居はあえていいはなった。淫乱、よし。ただよいのではない。淫乱はあたりまえであり、それがなければ生きていても意味がないのである。もののあはれだ。

物のあはれを知るとは何か。「あはれ」というのはもと、見るもの聞くもの触れることに心の感じて出る嘆息(なげき)の声で、今の世の言葉にも「あゝ」といい「はれ」というのがそれである。たとえば月や花を見て、ああ見事な花だ、はれよい月かなといって感心する。「あはれ」というのは、この「あゝ」と「はれ」との重なったものので、漢文に嗚呼とある文字を「あゝ」と読むのもこれである【注2】。

もののあはれとは、なにごとにつけても、みたり、きいたり、ふれたりして、心がふかくうごかされることをいう。「ああ、はれ」と、なにかに感動したときの心のようすが率直にあらわれることをいうのであり、ひとの純然たる気持ちそのもののことをいうのである。ひとが生きていくうえで、いちばん大切なものだといってもいい。本居によれば、ひとの心のうごきには喜怒哀楽があり、そこにはあさいふかいの差こそあるけれども、基本的にはそのすべてがもののあはれだという。そしてなによりも、ひとの繊細な感情がもっともよくあらわれているのが恋である。

> 人の情（こころ）の感ずるのは、恋が一番だ。物のあわれの深くて秘（ひ）めがたいのは恋で、神代このかた世々の歌にもその趣を歌ったのがことに多く、傑作も恋の歌に多いといえる。当世の庶民の歌にいたるまで恋の方面が多いのも、おのずからのことで、人情のまことである。さて恋といえば、時によって、辛いことも悲しいことも、恨めしいことも腹だたしいことも、おもしろいことも嬉しいこともあるわけで、人間感情の諸相は、あらかた恋のなかにそなわっている【注3】。

ようするに、もののあはれとはひとが生きるということだ。ひとは恋をして、ふかく心をゆさぶられることによって、なにものかになろうとつきうごかされていく。ときにはうまくいかず、恨みにみちて化け物みたいになってしまうこともあるが、ともあれ、ああはれとおもうことによって、ああこれが生きているということか、いやもっとこうやって生きていきたい、もっともっとモテてみたいと、なにかにむけて駆りたてられていく。いわば、ひとの可能性そのものだ。そこには主観的、美的なよしあしはあるかもしれないが、それ以外のなにものもありえない。すべては自分がいいとおもうか、おもわないかである。客観的な基準なんてありえない。はじめからこうあるべきという恋は、恋ではないのである。本居によれば、源氏物語はそうした恋というものを、どの時代のひとでものめりこめるようにえがいている。もののあはれのバイブルだ。

もののあはれさえあればいい。それ以外はなにもいらない。ひとの感情のありようはどんなものであってもいいのであり、どんな恋をしようと、どんな人間関係をむすぼうと、ひとの勝手である。だが、儒教と仏教はそれをゆるさない。いやその背後にある社会秩序がゆるさないのかもしれない。もともと、儒教の世界観からいえば、まず男女のカップルからなる夫婦があり、それを軸にして家ができる。子どもは親をうやまい、弟は兄をうやまう。そして子どもが親をおもうように、家臣は君主をうやまわなくてはならず、それが国といわれる。こうして家を土台にし、国をたてることを国家という。正直、江戸時代の支配秩序がそんなに厳格だったとはおもわないが、しかし儒学者はちがう。おそらく、必要以上に家のありかたをきびしくまもらせようとしただろうし、もしかしたらそのための道徳として仏教をもちだしたりしたのだろう。だから、淫乱きわまりない源氏物語などは、きびしくメスをいれて解釈しなければならないものであった。だが、本居はぜったいにゆずらない。

すべて儒仏思想にひきつけて物語を解するのは、それらの書が道徳的で、善悪是非の論はっきりと、謹厳で雄々しく、言辞うるわしいのをうらやみ、それにへつらったもので、みな、こじつけにほかならない。だいたい書物の趣旨というのは、もののによりとりどりなのであるから、儒仏の考えに異なっているからといって、別になんということがあろうか。物のあわれを見せようとして作った物語を、教誡の意にとりなすのは、たとえば花を見ようとせっかくそだてた桜の木を伐りくだいて薪にするようなものだ【注4】。

儒教であれ仏教であれ、ひとの恋路に善悪の基準をもちこんだ時点でもうだいなしだ。それは「桜を見ようとせっかくそだてた桜の木を伐りくだいて薪にするようなもの」である。だいたい、自由に恋してはいけないということは、死んでいるのとおなじことだ。もののあはれのない人生は人生ではない。政治のためだか、社会秩序のためだかしらないが、そんなもののために、あれやっちゃだめ、これやっちゃだめとかいわれたら、いかようでもありうる純然たるおもいが、一瞬にして伐りくだかれてしまう。まさに薪だ。政治、社会、道徳。ふざけんな。本居は、あらゆる人為的作為に指をつきたてた。はじめからかんじてはいけないことなんてない、おもってはいけないことなんてない、やってはいけないことなんてない。いまもむかしも、恋する心をとめることなんて、だれにもできやしない。なりふりかまわず恋してしまえ。

じっさい、源氏物語をよんでみると、とにかく光源氏の恋はすごい。いちいち肝がすわっている。天皇の息子としてうまれたかれは、容姿端麗、詩の才能にもめぐまれていた。モテモテだ。やがて元服をむかえると、かれはまず父親である天皇のわかい妃に手をだした。子どもがうまれ、のちに天皇になるのだが、源氏はそれを負い目にしない。わたしはただ、このひとを死ぬ気で好きだったのだと。またその後、源氏は数えきれないほどの女性に手をだすのだが、ときとして女性につれなくあたり、生き霊にたたられてしまう。愛する女性が呪い殺されてしまったほどだ。でも、源氏はそれがある女性の嫉妬ゆえに、生き霊ゆえに殺されたのだとしると、満足そうにこういった。「ああ、あのひとはわたしのことをそんなにおもってくれていたのか」。さらに、こりない源氏はあらたに天皇の座についた兄の妃にも手をだしてしまい、バレてしまって都落ち。そのときの源氏の言葉が、これまたすごい。「おれはなにもわるいことをしてないぞ。ひとの恋路をジャマするならば、そんな政治はクソくらえ」。もののあはれだ。

たぶん、源氏物語は、率直に反政治なのだろう。ふつう政治というものは、道徳や法とセットになっていて、やってはいけないことを設定し、それができない者を罰したりする。罰せられるのはおまえがわるい、おまえが道徳的にわるいことをしたから、ならず者だからこうなるのだと負い目をせおわせて。だが、光源氏はそういう負い目をいっさいせおわない。不倫、上等。淫乱、よし。すべては恋ゆえであり、それ以外のことは考えていない。とにかくモテたい、モテるためにいい詩をうたいたい。それができれば、死んだっていい。ひとの純然たるおもい。一〇〇〇年以上よみつがれてきたこの恋の物語には、やはりどこかしら真実味がある。わたしたちは、いまでも光源氏のような恋を生きることができるだろうか。モテたい。

あさきゆめみし

そんな授業の準備をしていたときのことだ。名古屋のアナキストのYさんが連絡をくれて、たまたま東京にいくことになったので、飲みませんかとお誘いをいただいた。わたしは、その週にちょっとおおきめな研究会で報告することになっていたので、どうしようとおもったが、せっかくなので飲みにいってみた。新宿のドンジャカで、四人で飲んだ。飲みはじめると、Yさんはとうとつにこうきりだした。「さいきん、あんまりデモにいってないんだよね。反原発とか、反レイシストとか、いろいろもりあがってるのはあるんだけど。なんでだろう」。みんなが息をのんでこたえをまっていると、Yさんはこういった。「モテないんだよ」。えっ、耳をうたがった。Yさんは、光源氏にでもなろうとしているのだろうか。しかし、よくよくはなしをきいてみると、まっとうなことをいっている。たとえば、反原発デモでは放射能はあぶないと声をあげ、反レイシストデモでは差別はいけないと声をあげる。この主張はまったくもってただしいのだが、しかしそんなことは小学生でもわかることだ。逆にいえば、放射能は安全だという政治家や御用学者がいたり、差別はしてもいいんだというレイシストがいたりして、かれらが小学生以下ということなのだが、でもそんな連中にたいして、道徳の授業みたいなことをいいつづけていたら、モテるものもモテなくなってしまう。それがYさんのいいぶんだ。

しかもいまのデモは、シングルイシューだとかなんとかいって、こむずかしいことひとついわせてくれない。左派右派、思想はちがっても、この一点にかぎってはいっしょにやろうといって、ひとをおおくあつめようとしているのである。だから反原発デモとかにいくと、きこえてくるコールは、だいたい「原発やめろ」。資本主義がどうこうとか、国家はいらないとか、税金をとるなとか、日の丸なんか燃やしてしまえとか、そういうことをいっていると怒られてしまう。いっていいことがはじめからきめられているのだ。キュウクツで、とてもモテそうにない。Yさんがそんなはなしをしていると、となりにいた友人が「じゃあ、世界革命とかいってデモをうっていたころはどうだったんでしょう」とたずねた。するとYさんはこういった。「モテモテでしょう」。世界革命とは、ちょっとまえの左翼運動でよくつかわれたスローガンだが、たしかにこの言葉をつかうと、なんでもいえる気がしてくる。反税金でも世界革命、反日の丸でも世界革命、もちろん反原発でも世界革命だ。のびのびしている。モテそうだ。

そんなはなしをしながら、わたしはしめたとおもった。その週にひかえていた研究発表は、ある海外の研究書の合評会だったのだが、なんとテーマが第三世界プロジェクトであった。一九五〇年代、反植民地闘争をたたかい、独立をかちとったアジア、アフリカ諸国。これらの国々が連帯し、もうひとつの世界を構築しようとしていた。東西冷戦のどちらの陣営にも属さずに、反植民地をキーワードにして支配なき世界をつくろうとしたのだ。それが第三世界というプロジェクトであり、いちどは挫折してしまったものの、いまだにその意味はうしなわれていない。わたしはYさんのはなしをきいていて、これはいい、第三世界とかいえば、なんだっていえそうだ。というか、世界革命よりも、もっといい言葉なんじゃないのかとおもえてきた。よし、モテるおしでいこう。

当日、わたしはおもったことをそのまましゃべってみた。第三世界プロジェクト、モテモテですと。たいはんは、あきれて苦笑していた。でも、ひとりだけ目をキラキラさせて、ウンウンうなずきながらはなしをきいてくれているひとがいた。訳者のAさんだ。おない年くらいの女性研究者である。こちらとしては訳者に好評なら、もううれしくてたまらない。さいしょはただ自分のテンションをあげるために、Aさんをみながらしゃべっていたのだが、だんだんと胸がドキドキしてくるのがわかった。やばい、かわいい。これが恋というものか。研究会がおわったあと、わたしはがんばってはなしかけてみようとおもい、ちかづいてみると、ありがたいことにむこうからしゃべりかけてくれた。どうも、ちょっとまえにわたしがかいた『大杉栄伝』をよんでくれていたらしい。感想をくれて、すごくよかったし、どんなひとなのか、いちどおあいしてみたかったんですという。なんどもなんどもあえてうれしいといわれた。こちらこそうれしい。ちょっとまいあがってしまった。そしてわたしは、とんでもない勘ちがいをした。もしかして、これが人生初のモテ期というやつではないだろうかと。

わたしは勇気をふりしぼって、Aさんを翌週の飲み会にさそった。たまたま、アメリカから友人があそびにきていて、もう帰国してしまうので、身近な友人たちと送別会をひらこうとしていたのだ。ぜひ、いろんな友人を紹介したいというと、きてくれるという。やった。わたしはもう有頂天だ。それから一週間、ずっとドキドキしっぱなしだった。当日、Aさんは一時間ほど遅れてくるという。わたしもその日は、別件で用事があったので三〇分ほど遅れていった。新宿の中華料理屋、ギョクランにいく。お店につくと、もう一〇人ほどあつまっていて、ひとりだけしらないひとがいた。五〇代くらいの紳士で、しりあいの編集者のとなりにすわっていた。どこかの編集者かなとおもい、とりあえず、「はじめまして、栗原ともうします」とあいさつをしてみた。するど、むこうもたちあがって「ああ、あなたが栗原さんですか。はじめまして、Mともうします」とあいさつをしてくれた。超有名な研究者だったので、びっくりしてしまった。いつもキレあじするどい文章をかくひとなので、わたしはおっかないひとだとばかりおもっていたが、とても物腰やわらかく、丁寧にしゃべりかけてくれた。品のあるステキなひとだ。

すこしはなしをしていると、そのMさんがこうきりだした。「いやあ、うちの妻が栗原さんのファンでしてね」。わあ、ありがたい、やっぱりモテ期なのか。そんなことをおもいつつ、「ありがとうございます、恐縮です」とこたえると、つづけてMさんはこういった。「このまえ、妻が栗原さんにおあいしたら、文章そのままのひとだったって、よろこんでいましたよ」。うん？　だれだろう。わたしがポカンとしていると、Mさんはこうつづけた。「妻の訳した本をよめば、モテるとまでいっていただいたようで、ほんとうにありがたいかぎりです」。ああっ………、ああっ………。あたまが真っ白になってしまった。そのあと、たぶんむちゃくちゃ笑顔で、なにかしゃべっていた気がするのだが、なにをしゃべったのか、ぜんぜんおぼえていない。きっと、Aさんはわたしが研究会で本を絶賛したので、お礼がてら、だんなさんの紹介もかねてあそびにきてくれるということだったのだろう。いいひとだ。それにくらべ、わたしはいったいなんなのだろう。ちくしょう、なにがモテ期だ。はずかしい。

しばらくして、意識がはっきりしてくると、すでにAさんがお店に到着していた。ごあいさつはしたものの、目がおよいでしまってちゃんとしゃべれない。がんばって顔をあげてみれば、Aさんとだんなさんがとてもお似合いにみえてくる。わたしは自分のおもいをおおいかくすかのように、ほとんど、となりにいた友人としゃべっていた。友人から、さいきんどんな思想にハマっていますかとたずねられたので、おもわず「仁義です」とこたえてしまった。うそっぱちだ。ほんとうは儒教も道徳もどうでもいい。わたしはただ恋がしたかったのである。恋するまえに、ビビってうしなってしまったのだが。ふと、本居と名古屋のYさんのことがあたまをよぎった。あさきゆめみし。まじでモテたい。

いくぜ、東北

そうこうしているうちに飲み会がおわり、何人かでカラオケにいくことになった。アメリカの友人と二人で、大好きな長渕剛を歌った。友人がどうしてもというので、「I love you」という曲をえらんだ。すごい歌詞なので、ちょっと紹介しておこう。

「私には私の生き方がある」とか／「自立した女の気持ちがなぜわからないの?」だとか／どこそこのレストランで地中海料理を食べるだとか／「イタめしにエスニック　ボルシチなんかも最高よね」って言いながら／そんな事より俺はお前をベッドに引きずり込み／素っ裸のお前の胸にしゃぶりつく／I love you　そうだろう／I love you　きっとそうだよね

服を着るなら ARMANI がいいとか VERSACE だとか／靴を履くなら FERRAGAMO がいいとか JOURDAN がいいとか／バッグを持つなら CHANEL がいいとか PRADA だとか／スカーフは HERMES よ　金持ちのボンボンからもらった／TIFFANY のオープンハートのネックレス／そんな事より俺はお前をベッドに引きずり込み／素っ裸のお前の胸にしゃぶりつく／I love you　そうだろう／I love you　きっとそうだよね／I love you

とうぜん熱唱だ。このひどく素直な歌詞が、みょうに胸につきささった。心のなかで、わかる、わかるんだけど、これじゃモテない、モテないとさけびながら。ともあれ、ともに長渕を絶叫してくれた友人には、ほんとうに感謝だ。その日は終電を逃してしまって、いっしょに、ある友人のお宅に世話になった。もうちょい飲もうよといっていたが、つかれてすぐにねむってしまった。翌日、友人はアメリカに帰っていった。わかれぎわ、わたしはおもわず、仏さまでもおがむかのように、その友人に手をあわせた。なんだか救われた気がしたのである。友人、だいじ。

それから一週間くらい、わたしはとにかく飲みまくった。飲んでは吐き、飲んでは吐き、そのくりかえしだ。ぜんぶ吐きだして、ゼロになってやりなおそう。ちょうど、もういいかとおもえたその日のこと、わたしは例によって終電をのりすごし、友人宅に泊めてもらった。深夜二時くらいだろうか、酔いざましにカルピスを飲み、つまみにコンソメあじのポテトチップスを食べた。そいつをポリポリとかじりながら、わたしはつい、胸のうちにひめていたこの失恋話を友人にしゃべってしまった。友人はケラケラと笑いだした。わたしも、半泣きになって笑ってしまった。

そろそろ寝ようかとおもったそのとき、友人が「はじめてだけど、コンソメあじのチップスターもなかなかいけますね」といった。ああ、はれ？　わたしはふとおもいだした。そういえば、山形のTAのコがチップスターのフタをあつめていなかったっけ？　なんだか、むしょうにコーヒーが飲みたくなった。わたしは友人にフタをくださいといった。友人はけげんそうな顔をしながらも、どうぞといってくれた。わたしは手をブルブルとふるわせながら、チップスターのフタを無造作につかみ、自分のカバンにほうりこんだ。いくぜ、東北。そうだ、これがわたしのもののあはれだ。「はかなくてうはの空にぞ消えぬべき、風にただよふ春の淡雪【注5】」。百の、千の恋に酔いたい。光源氏のいまを生きる。豚の足でもなめやがれ。

（注1）もとおり・のりなが（一七三〇―一八〇一年）。江戸時代の国学者。源氏物語や古事記などの古典を研究し、注釈書をかいたことで有名である。

（注2）『日本の名著21　本居宣長』（中央公論社、一九八四年）四〇六頁。

（注3）同上、四二六頁。

（注4）同上、四四一頁。

（注5）源氏物語、女三の宮の詩。「風にただよう春の淡雪のように、はかないわたしは空を舞っているあいだに溶けて消えてしまうことでしょう」という意味。

大杉栄との出会い
――赤ん坊はけっして泣きやまない

赤ん坊になりたい。おぎゃー、おぎゃー。だだをこねたい。ちやほやされたい。やさしくされたい。しゃぶりつきたい、素っ裸の女の胸に。わたしは、大杉栄の思想はそういうものだとおもっている。

わたしがはじめて大杉栄の文章をよんだのは、高校三年生のときだ。そのころ、わたしは毎日、大人ってイヤだなとおもっていた。かよっていた高校がとおくて、片道二時間半かかる。毎朝六時の電車にのっていくのだが、ちょうど通勤ラッシュで、いつも死にそうになっていた。ただ混んでいるだけならいい。それだけではなくて、朝のサラリーマンはとにかく機嫌がわるい。足をふまれたとかおされたとかいって、しょっちゅうどなりあい、つかみあいのケンカをしているし、そうでなくてもみんなピリピリしていて、まわりが緊張感につつみこまれている。そして自分もしらずしらずのうちに喧騒の一部になっていて、ぜんぜん身うごきがとれなくなっているのだ。

　でも、ある日を境にして、わたしはそれじゃだめなんだとおもうようになった。めずらしくちゃんと朝ごはんを食べて、電車にのったときのことだ。満腹感のためか、とちゅうでウトウトしてしまって、ラッシュでひとにはさまれているのをうまくつかい、立ったまま眠ることにした。すると、よほどまえのひとにもたれかかっていたのだろう。ふりはらおうとした相手のヒジが、わたしのわき腹をおもいきり突きさした。わたしは「うっ」となって下をむくと、そのままかるくゲーしてしまった。サラリーマンのとがった靴にゲロがかかる。わたしが気持ちわるくてかがみこんでいると、ゲロに気づいたそのサラリーマンが、「あぁっ」と声をあげ、そしてなにをおもったのか、無言のまま、革のカバンでわたしの背中をバシバシとたたきはじめた。こわすぎる。だれもたすけてくれない。わたしは半泣きになりながら、「すみません、すみません」といって、這うようにしてひとごみをかきわけ、つぎの停車駅で電車をおりた。

　それ以来、わたしはムリをしなくなった。体調がわるいだけではない。なんだか、満員電車を必死にたえしのぶことと、あのおっかないサラリーマンになることが、おなじことのようにおもえたのだ。あんな大人にはなりたくない。遅刻したってかまわない。つかれたらすぐに途中駅でおりて、駅や公園のベンチでラッシュがおわるのをまつことにした。一、二時間、ヒマな時間ができる。それでいつもポッケに文庫本をいれていくことにした。当時、でたばかりということもあって、書店にならんでいた岩波文庫の『大杉栄評論集』を手にとった。偶然だ。公園のベンチでペラペラとページをめくっていると、まんなかあたりに「自我の棄脱」という評論があった。あたまのなかにスーッと言葉がはいってくる。正直、そんな経験をしたことがなかったので、びっくりしてしまった。

> 兵隊のあとについて歩いて行く。ひとりでに足並みが兵隊のそれと揃う。兵隊の足並みは、もとよりそれ自身無意識的なのであるが、われわれの足並みをそれと揃わすように強制する。

なんだか、満員電車のサラリーマンみたいだ。じっさい兵隊みたいでおっかないし。でもそれだけではない。毎日、みんなとおなじように学校にいき、受験勉強をして大学にいって、けっきょくサラリーマンになろうとしている自分も、それにちかいのだ。自分の生きかたを自分できめることもできやしない。

じゃあ、どうするのか。

百合の皮をむく。むいてもむいても皮がある。ついに最後の皮をむくと百合そのものは何にもなくなる。

われわれもまた、われわれの自我の皮を、棄脱して行かなくてはならぬ。ついにわれわれの自我そのものの何にもなくなるまで、その皮を一枚一枚棄脱して行かなくてはならぬ。このゼロに達した時に、そしてそこから更に新しく出発した時に、はじめてわれわれの自我は、皮でない実ばかりの本当の生長を遂げて行く【注1】。

わたしはこれをよんで、ああ学校をサボるのはいいことだ、ここでこうして本をよもうとおもった。いつだってなんだって、やりたいことをやってしまえばいい。ゼロになる、自分の人生をやりなおす、赤ん坊になってわがままをとおす。それがいいことなんだと本気でおもえた。

そのときの感動がおおきかったからだろうか。その後、わたしはもう中年になるが、いまだに定職につかず、結婚もせずにぶらぶらしている。きっと大杉栄のせいだ。もちろん、バイトではたらいたことはあるし、ひとなみに恋愛をしたことだってある。でも、気づいたら、あのおっかないサラリーマンになってしまいそうで、グッタリしてしまう。好きな本をよむためにカネをかせいでいたはずなのに、いつのまにかカネのためにはしかたがないといって、本をよむ時間をけずってしまっていたり、好きだからつきあっていただけなのに、将来の生活のためだとか、子どもをつくるためだとかいって、カネのことしか考えなくなっていたりする。みんなそうしているからと自分にいいきかせて。でも、いつだっておもうのだ。ほんとうはなにがしたかったのか。だだをこねたい。ちやほやされたい。やさしくされたい。しゃぶりつきたい、素っ裸の胸に。欲しているのは、ただそれだけだ。

ひとはいつだってゼロになって、自分の人生をやりなおすことができる。いいかわるいかはべつとして、それができなければ、生きていてもつまらないのだとおもう。大杉栄の思想を生きる。それは永遠のゼロをつかむということだ。おぎゃー、おぎゃー。赤ん坊はけっして泣きやまない。

（注1）　大杉栄『大杉栄評論集』（飛鳥井雅道編、岩波文庫、一九九六年）一二四〜一二五頁。

ヘソのない人間たち
——夢をみながら現実をあるく

小説家はいじわるだ。

もう昨年（二〇一三年）末のことになるが、わたしは家でヘソを落っことしてしまった。比喩ではない。ほんとうのはなしだ。もともと、わたしは古いタイプの人間で、自分のヘソをさわるということをしたことがなかった。幼いころから、親にヘソはさわってはいけないといわれて育てられてきたのだ。いじるとお腹をこわすとか、バカになるとか、いろいろとおどされてきた。ようするに、性器とまではいわないが、ヘソは人間にとっての恥部であって、かくさなきゃいけない、そっとしておかなきゃいけない、たいせつにしなきゃいけないものだとおもわされてきたのだ。だから、いっとき落雷があるとヘソをとられるとかいわれていたときなどは、ほんとうにこわかった。うずくまり、ウウッといいながらヘソをかかえて死守したほどだ。

しかし昨年末、みょうにヘソがカサコソした。体をまげると、ちょっと違和感がある。どうしたのだろう。あまりに気になったので、お風呂にはいったときに、じっとみつめてみた。それがわるかったのか、なんだかたえきれなくなって、おもわずヘソを指でなでてしまった。ちょっとさわったが、なんともない。よし、もうすこしつよくさわってみよう。すると、どうしたことか、ヘソがふにゃふにゃっとなって、プルプルと揺れはじめた。ありゃ、これはやばいぞ。わたしはみなかったことにしようとおもい、ふるえる心をおさえながら顔をあげた。もうヘソはみない。でも、そのあとのことだ。石けんで体をあらい、いつものようにシャワーで気持ちよくながしていると、ふと、ヘソのようすがおかしいことに気づいた。かるくシャワーをあててみると、ヘソがクルクルクルッとまわっている。えっ？　あっけにとられたその瞬間だ。コロコロコロ。わたしのヘソが下へ下へと転がっていく。ああああ！　そのまま、シャワーの水といっしょに、下水口へとすいこまれていった。あまりの恐怖に力がぬける。体中のすべてというか、なにかたいせつなものをうしなってしまったような気分だ。まいった。

わたしはしばらくあたふたしていたが、どうしようもない。なにせ、親にも相談できないし、もちろん友人にもだ。へんな罪悪感だけをかんじる。じっとガマンしていたが、それから三カ月くらいしてのことだったろうか。ついたまらなくなって、酒を飲んでいるときに友人にはなしてしまった。すると、いじわるな小説家のY子さんが、ヒッヒッヒッヒとわらいながら、こういった。「おヘソは体のフタなんだよ。フタがなくなったら、食べたものとか、内臓とか、血液とか、ぜんぶ落っこちちゃうんだよ」。こわすぎる。もしかして、わたしはもう人間じゃないのだろうか。

ちくしょう、なにか食いたい！

そんな経験をしてからしばらくたつが、いまだにそれがなんだったのかよくわかっていない。でも、さいきんすこしわかった気がした。きっかけは、アルバイトでうけもっている大学の授業だ。短編小説をえらんで、学生によませる。安部公房の「魔法のチョーク」をよんだ【注1】。わたしは二〇年ぶりにこの小説をよんだのだが、あらためておもしろいとおもった。主人公は、画家のアルゴンくん。貧乏でメシも食えない。部屋にひきこもり、「ちくしょう、なにか食いたい」とおもっていると、ふとみたこともない赤いチョークがポケットに入っていることに気づいた。それをつかって、壁にコーヒーやらパンやらをかいてみると、ほんものになってピョンとでてくる。ひゃあ、すごい。でも、その魔法は夜にしかききめがない。朝になるとなんにもなくなり、消えてしまう。どうしたものか。アルゴンくんは、考えに考えたうえで、新世界を創造することにきめた。夢の世界をつくり、そこにはいりこんでくらしてしまおう。現実を脱するのだ。

しかし、やってみるとうまくはいかない。新世界へのドアをかいてみたが、あけてみると砂漠があるだけ。けっきょく現実みたいに、いろいろと計画をして、あれこれつくりださなければ生きてはいけない。ああ、めんどうくさい。アルゴンくんはおもった。そうだ、イヴだ、イヴをかこう。素っ裸の女子がでてくると、もううれしくてたまらない。でも、その女子は意味がわからない。現実のドアをあけ、外にでていこうとするのを、アルゴンくんがとめた。「そのドアをあけてはいけない」。女子はチョークをうばい、壁に絵をかきだした。ピストルとハンマー。まずはアルゴンくんめがけて、ピストルをぶっぱなした。ギャー、アルゴンくんがたおれると、すかさずドアをめがけて、ハンマーをふりおろした。ちょうど、そのときだ。朝日がさして、すべてが消えてしまった。アルゴンくんも、いっしょに壁にすいこまれた。アルゴンくんは、最後にひとことだけこうつぶやいた。「世界をつくりかえるのは、チョークではない」。

わたしはこの小説をよんで、率直にこうおもった。女子ってこわいな。なんだか、ひとごとではないのである。もちろん、おもったのはそれだけではない。たぶん、魔法のチョークを手にするということは、ヘソをなくすということとおなじことだ。ふつう、人間の現実というのは、ああしたらこうなる、こうしたらああなるというのが、はじめからきまっている。おいしいものを食べたり、たのしい恋愛をするためには、カネが必要だし、カネをえるためには、はたらかなくてはいけない。はたらいてこれだけうごいたら、これだけの見返りをもらう。そういうのをヘソというか、フタをされているといってもいいのだろう。人間のふるまいにひとつの標準がもうけられて、それにしたがって生きなくてはいけないとおもわされる。めんどうくさい。ひとはもっと自由にふるまったっていいはずだ。ほしいものを手にするために、さだめられた手順をへてどうこうするのではなく、もっと直接ほしい、いますぐほしいとおもってもいいはずだ。そのために、ほんきで創意工夫をかさねてみる。それが夢である、魔法である。

でも、アルゴンくんが最後にいったように、それと新世界をつくるということはちがうのだとおもう。内容じゃない。世界を人為的に計画しようということ自体がまちがっているのだ。人間の、現実の論理にまきこまれてしまうのだから。じつのところ、魔法のチョークは、赤いチョークだったわけだから、赤い人たち、つまり共産党やらなんやらが社会主義国家をつくるということが暗示されていたのかもしれないが、たぶんそれじゃダメだということなのだろう。もしかしたら、いまの世界でチマチマはたらくことがちいさな仕事なのだとしたら、新世界をつくるということはおおきな仕事なのかもしれない。でも、そのなかにひとはこうあるべきとか、そういう標準みたいなものがさだめられていたとしたら、それまでの世界とかわりはない。むしろ、もっとわるいものになっているほうがざらである。世界はおわらせなくてはいけない。イヴだ、イヴをかこう。

さて、わたしはすでにヘソをうしなっている。これはたんなる憶測でしかないのだが、はずかしくてひとにいえないだけで、わたしとおなじようにヘソを落としたことがあるというひとは、けっこうおおいのではないだろうか。ヘソそのものじゃなくてもいい。ひととしてのフタをなくしてしまって、ゼロになったというか、スッカラカンになってしまったというひとは、けっしてすくなくないはずだ。それはどういうことなのか。わたしは魔法のチョークを手にしたのだとおもっている。どこの壁だってかまうもんか、ほしいものはほしいとバシバシかきまくってやればいい。でも、新世界なんてなくてもいい。おおきな仕事も、ちいさな仕事も、どっちだってまっぴらごめんだ。わたしはただ純粋にはたらかないで生きていきたいとおもっている。夢をみながら現実をあるく。ヘソのない人間たち。ちくしょう、なにか食いたい。

補記

この文章をかいているさいちゅうに、長年、お世話になってきた大学から、こんなメールがとどいた。「先生には次年度の科目担当はお願いしないこととなりました」。あえてくりかえす。ちくしょう、なにか食いたい！

（注1）安部公房『壁』（新潮社、一九六九年）所収。

反人間的考察
――歴史教科書としての『イングロリアス・バスターズ』

政治はいらない、カラオケにいきたい

わたしは政治がきらいだ。ただきらいなんじゃない。いらないとおもっている。政治とは、ひとがひとを支配するということだ。ないほうがいい。だから、選挙だのなんだので、テンションがあがっているひとをみると、わたしなどはドン引きしてしまう。どこそこの党の、だれだれに票をいれるだとか、そんなことはしったことか。わたしは、自分の意志を他人にゆだねてしまうことがいやなのだ。自分のことは自分でやる。もちろん、ひとりでなんでもやることなんてできやしない。他人のたすけは必要だろう。でも、わたしがいいたいのは、たすけあいがいらないとかそういうことで

はなくて、自分の身のまわりのことが自分できめられない、すくなくともその最終的な決定権が、ひとにぎりの人間にゆだねられているというのがいやなのだ。これ、けっこうあたりまえのことだとおもうのだが、意識していないとわすれてしまう。選挙なんていきたくない。民主主義の名のもとに、それを強制してくるやつらがいるならば、反民主主義でもなんでも名のって拒んでやりたい。民主主義をおわらせよう。わたしは、このあたりまえの感覚を手ばなしてはいけないとおもっている。

ちょっとめずらしく、いいことをいってしまった。いまいってみたのは、反政治というアナキズムの基本原理だ。とはいえ、わたしの場合、選挙なんていらないといっておきながら、友人から電話をもらって、「投票所で長渕剛の曲がながれてたよ」といわれ、ひょいひょいと投票所に足をはこび、共産党とかに票をとうじてしまったりもするのだが、まあそれはそれでしかたのないことだ。わたしは長渕剛の大ファンなのだから。ちなみに、ながれていたのは、不朽の名曲「乾杯」であった。いつきいても号泣である。ああ、カラオケにいきたい。えーと、なにがいいたかったのかというと、わたしはふだん政治に関心がないということだ。しかしそうはいっても、あまりにあたまにきて、やいのやいのいいたくなってしまうような政治問題もある。原発や放射能の問題だってそうだし、秘密保護法だって、集団的自衛権だって、ヘイトスピーチだってそうだ。政治家でも排外主義者でも、ちょっといっていること、やっていることがひどすぎて、このやろうとプンプン怒ってしまうこともある。

とりわけ、さいきんひどいなとおもったのが、従軍慰安婦の問題だ。朝日新聞の記者が、記事をねつ造したとかなんとかいって、めちゃくちゃにバッシングされていて、どうもいまの仕事が大学非常勤講師で、勤め先が北星学園大学というところらしいのだが、そこに爆破予告の脅迫状がとどいたり、ご家族へのいやがらせとかで娘さんを自殺に追いこむぞといわれたりしていて、その時点でやりすぎというか、ひどすぎるとおもうのだが、それればかりじゃなく、この機に乗じてというか、ほらみたことかといわんばかりに、右派的な言説がふきあれていることだ。安倍晋三は、一国の首相の立場として、従軍慰安婦は日本軍が強制連行したものではなかったみたいなことをいっているし、それをうけて、だから従軍慰安婦はわるいことじゃないんだという声がじゃんじゃんあがっている。それこそ二〇年くらいまえ、歴史教科書が戦前日本のアジア侵略を批判的にえがいているとして、自虐史観だなんだとバッシングされていたときがあったが、当時はゲテモノあつかいされていたその手の議論が、けっこうあたりまえのようにいわれるようになっている。おれたちはわるいことをしていないのに、サヨクとサヨク新聞のせいで、過去の日本人像をゆがめられてしまった、日本人はわるいことをしてきたんだとおもいこまされてしまった、ふざけんな、日本人にほこりをもて、と。

こういうはなしをきいていると、アジアへの負い目というか、贖罪意識をもちすぎて、あたまがおかしくなってしまったおじさんたちが、たくさんいるんだろうなとおもってしまうが、それにしても考えさせられるのは、いわゆる歴史認識である。これまでただしいといわれてきた歴史認識を批判してみようとか、そういうのはぜんぜんいいとおもうのだが、そのまちがいをあげつらっているうちに、どんどんひとの認識のありかたが、ちっちゃくちっちゃく、せばめられていってしまう。歴史はこうやって考えるべきだ、日本人はこうあるべきだ、自分たちもこうしなければならないと、歴史を論じれば論じるほど、ひとの未来が閉ざされていってしまう。ほんとうに、それでいいのだろうか。そもそも、歴史ってなんなのだろうか。そういうことを考えるとき、わたしがいつもおもいうかべるのが、タランティーノ監督の映画『イングロリアス・バスターズ』(二〇〇九年)だ。この映画、むちゃくちゃおもしろいし、ほんとうに参考になるので、ちょっと内容を紹介しておきたいとおもう。

ユダヤ人のナチス狩り

さいしょにかんたんにいってしまえば、この映画の内容は、ユダヤ人がヒトラーをやっつけるというものだ。主人公はブラッド・ピット。レイン中尉という名前で、アメリカのユダヤ人特殊部隊を指揮する隊長だ。この部隊は八人しかいないのだが、むちゃくちゃつよい。というか全員、殺人鬼だ。レインの命令はただひとつ。ひとり一〇〇人、ナチス兵をぶっ殺し、あたまの皮をはぐことだ。どうも、レインの先祖にアメリカ原住民のアパッチ族がいたらしく、そのしきたりにしたがっているとのことだ。そりゃあ、やむをえない。まあ、そんな命令でうごいているわけで、部隊のメンバーは全員いかれている。ナチス狩りをたのしんでいるのだ。殺すときは、もう虐殺である。たとえば、通称「ユダヤのクマ」というやつがいるのだが、そいつなどはナチス兵をつかまえたときは、うりゃあ、といって、一人ひとりバットであたまをバシバシとふっとばしていく。撲殺、快感だ。そういうやつらばかりなので、レインの部隊は敵兵からおそれられ、イングロリアス・バスターズとよばれていた。日本語に訳せば、「サイテイのイカレ野郎ども」という意味だ。かっこいい。

さて一九四四年六月、レインたちはドイツ占領下のフランスにしのびこみ、ヒトラー暗殺をくわだてた。ちょうど、ヒトラーがゲッベルスらナチス幹部をつれて、パリの映画館にやってくるというので、これはもうやるしかないとおもいたったのだ。計画は完ぺき。レインと部下数名が爆弾を身につけて観客席にすわる。あとは、ころあいをみはからって二階にあがり、観客席めがけて、機関銃をぶっぱなす。皆殺しだ。そんなふうに考えていたのだが、なかなか本番はうまくいかない。まず、部下数名はうまく侵入し、席にすわることができた。その後、二階にのぼり、警備のナチス兵をやっつけて、首尾よく配置につくことができた。でも、肝心のレインがつかまってしまう。イタリア人をよそおったのだが、「ボンジョールノ」と挨拶をしたその発音がヘタくそすぎて、ナチスの親衛隊につかまってしまったのだ。仲間二人とともに尋問をうけ、外に連行されていってしまった。

レインがこない。映画館にいた部下たちは動揺する。どうしようかとアタフタしているうちに、映画がはじまってしまった。やばい、これはもうダメか。あきらめかけたそのときだ。事態は急展開をみせる。とつぜん、だれかが映画館に火を放ったのだ。じつは、家族をナチスに殺されたユダヤ人女子が、おなじ日にやはりヒトラー暗殺にきていたのである。映画館はパニックにおちいるが、その女子の恋人がドアをロックしてしまって、だれひとりでることができない。うぎゃー。それまでいばりくさっていたナチス将校たちが、苦しみもだえながら、ブタのように悲鳴をあげている。これをみて、なにかの合図だとおもったレインの部下たちは、ヒァッヒァッヒァと高笑いをしながら、計画を実行にうつしはじめた。まず、二階にいた部下たちが機関銃を乱射し、軍人も民間人もかまわずにメタメタに撃ちまくった。ヒトラーもゲッベルスも、おもいきり銃弾をくらっている。それをみた一階の部下たちは、よっしゃ、とどめだといわんばかりに、爆弾のスイッチに手をかけた。ドカーン。みんながみんなふっとんだ。皆殺しだ。ユダヤ人が、ヒトラーをやっつけたのである。

ちなみに、レインのその後についてもふれておくと、かれはナチスの親衛隊に連行されていたのだが、そのとちゅう親衛隊の隊長がドイツ敗戦の報告をうけ、その場で降伏することにきめた。レインの手錠をはずし、このままドイツやフランスにいると血祭りにあげられるから、オレもアメリカにつれていってくれと懇願したが、レインはうけいれない。レインは、そいつを気がすむまでぶんなぐり、木にしばりつけた。そして、ピイピイ泣きさけぶそいつのあたまに、ナイフでナチスのマークをきざみこんだ。きっと、これでみつけにきたフランス解放軍に八つ裂きにされることだろう。このものがたりは、そんなハッピーエンドでおわっている。めでたし、めでたし、だ。

地にうずもれた大地のブタたちよ、たちあがれ

それじゃあ、この映画がものがたっているのはなにかというと、それはひとがどうやって歴史をうけとめればいいのかということだ。ふつう第二次大戦中のユダヤ人というのは、かわいそうな存在というか、アウシュヴィッツなどの強制収容所のイメージでかたられる。例外状況があたりまえだったというか、虐殺されることがあたりまえだった人間たちである。極度の暴力をふるわれて、ひととしての尊厳をうばわれる。まるで豚小屋に飼われたブタである。もしかしたら、それ以下だったのかもしれない。人間というのはおそろしいもので、そういうあまりにひどい状況におちいると、かんぜんにおしだまってしまう。相手のなすがままになり、無力感におそわれる。むしろ、

自分がわるいことをしてしまったから、こうなったのだとおもいこもうとする。エサをください、屠殺してください、わたしはあなたさまのブタでございます、おやさしいご主人さまと。

たぶん、このはなしで肝になってくるのは、当の本人たちだけじゃなく、後世の人たちもおなじようにおもわされてきたということだ。強制収容所のイメージにつつみこまれるといえばいいだろうか。ひとは絶対的な恐怖にさらされると、なにもできなくなってしまう、そういうものなんだとおもいこまされるのである。さらにひどいのは、それを利用しようとする人たちがけっこういて、やれ核の脅威だとか、やれテロの危険性だとか、あおるだけあおっておいて、警察や軍隊にどんどん法外なことをやらせ、そのうえで国民の安全のためにはしかたがないよねといってくることだ。法外な行為が、あたかも法にのっとった行為であるかのようにおもわされる。正直、いまだったら対テロ戦争とかなんとかいっておけば、なんだって正当化されてしまうだろう。ひとがひとを支配するために、ひとを無力化すること。ようするに、第二次大戦後の国家は、アウシュヴィッツとか南京大虐殺とか従軍慰安婦とか原爆とか、そういうのはよくないといっておきながら、その政治的効果をしっかりと利用してきたのである。ずるい、ずるい。

ひとは歴史の記憶にさらされればさらされるほど、国家に従順になってしまう。かりにそうじゃなかったとしても、こう逆ギレしてしまうだけのことだろう。なぜいまの、そしてどこの国家もやっていることなのに、自分たちだけが批判されなきゃいけないんだと。アウシュヴィッツもホロコーストもなかった、南京大虐殺も従軍慰安婦もなかった。というか、やっていたとしても、どこもやっていたことでそんなにわるいことではないじゃないか、お国バンザイだと。まるで、はじめからひとの生きかたが、国家の歴史によって閉ざされているかのようだ。これにたいして、いやそんなことはない、ぜんぜんちがうぞと異をとなえているのが、タランティーノである。ふざけんじゃねえぞ、ひとの可能性はそんなものじゃない。ひとが生きる時間というのは、もっともっとひらかれたものだ。過去も現在も未来も、無限の可能性をひめているのだと。正確にいえば、タランティーノがどう考えているかなんてわからないのだが、すくなくとも『イングロリアス・バスターズ』はそううったえかけている。

これはさいきん、イタリアの哲学者、アガンベンの「バートルビー」という論文をよんでいて、なるほどとおもったことなのだが、ひとがほんとうの意味で自由になるということは、いつでも白紙の状態にたちもどれるということだ【注1】。もしかしたら、これまでのおこないから、おまえはこうしなくちゃいけないとか、こうしたほうがいいよといわれることがあるかもしれないが、そんなものどうだっていいんだといって、拒否できるかどうかが重要なのである。しかも、そうしないほうがよいのだからという、ただそれだけの理由で、である。きっと、いつだってそうすることができるという潜在的な力こそが、ひとの自由を担保しているのだ。じつはこれって過去の行為についても、おなじことがいえるわけで、すでにおこった出来事というのは、そのつどそうしなくてもよかったことなのである。わたしたちのまわりには、無数の潜在的な過去が存在している。だから、わたしたちはよく、世のなかの現状をみせられたうえで、この現状はこういう歴史のもとにかたちづくられてきたのだ、このながれにしたがってもらわなければこまるといわれがちだが、そんな必要はないのである。これが歴史だといわれているものなんて、存在しえた無数の過去のひとつにすぎない。人類一万年の歴史、ちっぽけなものだ。

わたしたちは、こうありえたという無数の過去とともに、いまを生きていくことができるだろうか。たぶん、それができたとき、わたしたちはなにものにもしばられずに、自由にものを考え、自由にふるまうことができるのだろう。でも、そうはさせまいと、しつこくつきまとってくるのが歴史というものだ。これが現実だ、おまえたちはこれにあらがうことなんてできやしないと。ああ、やってられない。そんな歴史、いちどぶっこわしてしまうしかない。まずは潜在的な過去の断片にのっかって、あたらしい現実を生きてしまおう。すでに、タランティーノが見本をみせてくれている。ヤラレタラ、ヤリカエセ。ホロコーストが歴史の記憶であるならば、もっとひどい残忍な暴力で相手をうちまかしてやれ。生きたまま皮をはぎ、おのれのつよさを誇示するのだ。復讐の形而上学。殺すまえに相手をよくみる【注2】。ケジメをつけよう。さようなら、歴史。

ちなみに、あえていっておきたいのだが、わたしはホロコーストがなかったとか、南京大虐殺はなかったとか、従軍慰安婦は強制じゃなかったとか、そういうことがいいたいわけじゃない。そういう歴史修正主義みたいなのは、既存の歴史認識に執着して、ほんのすこし解釈をくわえただけというか、過去の国家のおこないを正当化したいというだけのことだ。現におこったことを責めたてられて逆ギレしてしまい、おれたちはわるくない、おれたちの国家がわるいことなんてするはずないとおもいたいだけのことである。ちっちゃいのだ、心が。もちろん、わるいことをしなくてもよかったわけだし、そうじゃない潜在的な過去をおもいうかべたっていいわけだ。たとえば、『イングロリアス・バスターズ』とおなじように、日本でも中国や朝鮮の人たちが、昭和天皇や軍部のおエラいさんを血祭りにあげ、そのあたまの皮をはいだっていい。というか、日本人がおなじことをしたっていいのである。そういう映画をみてみたい。そういう現実を生きてみたい。歴史のブタとして飼育されるのは、もういやだ。わたしはイングロリアス・バスターズとして、真っ黒な野ブタとして生きていきたい。地にうずもれた大地のブタたちよ、たちあがれ。政治はいらない、カラオケにいきたい。

（注1）ジョルジョ・アガンベン『バートルビー――偶然性について［附］ハーマン・メルヴィル『バートルビー』』（高桑和巳訳、月曜社、二〇〇五年）。

（注2）これは赤瀬川原平の作品のタイトル、「復讐の形態学（殺す前に相手をよく見る）」（一九六三年）をモジったものだ。どんな作品かしりたいかたは、『赤瀬川原平の芸術原論展――1960年代から現在まで』（千葉市美術館・大分市美術館・広島市現代美術館・読売新聞社・美術館連絡協議会、二〇一四年）をどうぞ。

豚の女はピイピイとわめく

ピイピイピイ、ピイピイピイ、ピイピイピイ、ピイピイピイ、
ピイピイピイ、ピイピイピイ、ピイピイピイ
（長渕剛「ろくなもんじゃねえ」一九八七年）

あなたの女性の好みは？

「合コンにいきたい」ということを文章にかいてから、はやくも一年半がすぎた。あれからまだ、だれからもさそってもらっていない。ああ、これが世間というものか。ちょっとしょんぼりしていたところ、タバブックスの宮川さんから「栗原さんの女性観でもかいてみませんか」とのご依頼をいただいた。正直、好きになったひとが好き

なくらいで、そんなものはないのだが、でも、もしかしたらこれをかくことによって、合コンにさそってもらいやすくなるかもしれないし、せっかくなので、がんばってかいてみたいとおもう。それで考えてみておもったのは、宮川さんからの依頼もそうなのだが、じっさい合コンにいってみると、よくこんな質問がとびかっているということだ。「あなたの女性のタイプはなんですか」。じつのところ、こういう問いかけをされると、男子はみんなこまってしまう。必死にあたまをフル回転させ、好きな芸能人の名前でもいってみれば、そんなことをきいているんじゃないと怒られるし、やさしいひととか性格のことをいうと、抽象的だと責められる。ならばと逆に胸がでかいとか、足のきれいなひととか、なにか容姿のことをいうと失笑をかってしまう。というか総スカンだ。ごもっとも。けっきょく、なにをいっても正解ではない。こりゃもう、なにをいったっていい。

だから、いつからだろうか。わたしは好きな女性のタイプはときかれたら、まよわずこうこたえるようになっている。ブタ。ブタである。ブタのような女性が好きなのではない。そんな失礼なことはさすがにいわない。わたしはブタが好きなのだ。ピイピイとさけぶブタが好きなのである。意味がわからないといわれてしまうかもしれないので、ひとつ、わかりやすいたとえばなしをしておこう。

仔ブタが、ヤギとヒツジと共に、柵の中に閉じこめられた。ある時、ヒツジ飼が仔ブタを捕まえようとおさえつけた。すると、仔ブタは、ブヒブヒ喚き散らし、激しく抵抗した。ヒツジとヤギは、その喚き声にうんざりして、文句を言った。

「我々もしょっちゅう、彼に捕まえられるけど、そんなに泣き喚いたりしないよ。」

すると、仔ブタが言った。

「あんたらと、僕とでは、事情が違うよ。……彼があんたらを捕まえるのは、毛やお乳をとるためだけど、僕をおさえつけるのは、肉をとるためなんだから！」【注1】

これはイソップ物語の一節である。この寓話、なにをいっているのかというと、ブタはその本能から、自分の身がキケンにさらされたときに、ブヒブヒ、ピイピイとわめきちらしながら、必死の抵抗をこころみるということだ。周囲にうるさいとめいわくがられたってかまわない、あがいたあげくけっきょく命をとられたってかまわない。というか、たいていの場合、人間には勝てず、肉を切りきざまれて食われてしまうのだ。でも、それでもいい。そんなことはわかっていても、やばいとおもったら泣きさけぶ。ほんのわずかだっていいから、自分の命をうばうものたちに不快感をあたえてやりたいのだ。この寓話は、それがあたりまえなんだということをおしえてくれている。

では、なんでこんなはなしをしたのかというと、わたしはそういう女子が好きなのだということだ。家庭でも会社でも、自分のことをかこいこんで、その力を貪りつくそうとしているやつがいるならば、まよわずそこをとびだして、あたらしい恋でもなんでも生きてみたいとおもう。まわりの迷惑かえりみず。おまえは不貞だのなんだのといって、責めたててくるやつがいるならば、ピイピイわめいておもいしらせる。オマエ、異常。ワタシ、あたりまえ。それで身をほろぼそうがかまわない。ようはピイピイいうことが重要なのだ。きっと、それが恋というものなのだろう。わたしは、そうやってひとを駆りたててしまう、なにか不思議な力のようなものの一部でありたいとおもっている。なにはともあれ、とにかくモテたい。

ブタさんのおばあちゃんち

しかしそうはいっても、なんでおまえはブタにこだわっているんだといわれてしまうかもしれない。たしかに、わたしはブタの比喩をつかうことがおおい。なぜだろう。いろいろと考えてみると、じつはわたしの実存にかかわっているんじゃないかというか、幼少年期からのつよいおもいによって、そうさせられているんじゃないかとおもえてきた。なので、すこしそのはなしをしてみたいとおもう。わたしはちいさいころ、年に二、三回、母方のおばあちゃんちにあそびにいくのをたのしみにしていた。群馬の大曲というところにある。館林のすぐちかくだ。おばあちゃんちは兼業農家で、コメをつくるかたわら養豚業をいとなんでいた。庭には豚小屋がたてられている。あそびにいくと、いつも豚小屋からブタの鳴き声がピイピイときこえてくる。もうその声だけで、超かわいい。わたしはかわいいブタさんが大好きで、おばあちゃんちにつくと、「わーい、ブタさんだあ、ブタさんだあ」といって、小躍りしていた。ちなみに、なぜかわからないが、わたしの家族は母方のおばあちゃんちのことを「ブタさんのおばあちゃんち」とよんでいた。まあ、ようするに好きだったのだ、ブタさんが。

でも、小学校五、六年生くらいのころだったろうか。ひさびさにおばあちゃんちにいき、庭に足をふみいれてもブタの声がきこえてこない。あたりをキョロキョロとみまわしても、みなれた豚小屋が存在しない。どうしたことか。「あれー、ブタさんがいないよう、ブタさんがいないよう」。そういって、もともと豚小屋があったほうにちかづいていくと、そのすぐとなりあたりに、みたことのない掘立小屋がたっていることに気づいた。ああ、ここかあ。わたしはそこにブタさんが移ったんだとおもいこみ、よろこびいさんでドアをあけた。「わーい、ブタさん」。すると、どうしたことか、なかからはブタさんのピイピイという声ではなく、「ハーイ、ドーシタネー」という、たどたどしい日本語がきこえてきた。いそいそと、いかにも東南アジア系のおネエさんが、ドアのほうにやってくる。フィリピン人だ。ものすごいタバコのけむりと、ツーンとするどぎつい香水のにおいがただよってきたのをおぼえている。そっとなかをみてみると、けっこうちいさい建物なのに、二〇人くらいの女性がベッドやイスにすわっていた。

えぇー、なんなんだこれは。わたしはちょっとキョどってしまって、ついおネエさんに「ブタさんは？」とたずねてしまった。おネエさんも、なにをきかれているのかよくわからずに、ただ苦笑しながらわたしのあたまをなでていた。なんかエロい、ドキドキだ。どうも母親の弟にあたるおじさんが、館林でフィリピン人パブや焼肉屋などを何店舗かはじめたらしく、その従業員におネエさんたちをやといいれたらしい。でも、初期費用がないため、おじいちゃん、おばあちゃんのブタを売りはらい、しかもやといいれたフィリピン人をアパートにいれるカネもなかったため、豚小屋の跡地に掘立小屋をたて、そこにすませたというわけだ。しかし、そのはたらかせかたというのがほんとうにひどくて、いちどおじさんの焼肉屋につれていってもらったことがあるのだが、そこではたらいているフィリピンのおネエさんはちょっと接客ミスをしただけで、日本人マネージャーにヤクザみたいな声でどなられ、なじられていた。「これだからフィリピン人は……」と。しかも口答えをしたおネエさんは、おもいきり髪をひっぱられたりする。イタイ、イタイ。ひどすぎる。わたしは子どもながらに、日本人っていやだなとほんきでおもった。

でも、おばあちゃんにはみんななついていて、「ママ、ママ」といって、ワイワイいいながらいっしょに洗濯物をほしたり、ご飯をつくったりしていた。まあ、ほんとうに孫の目からみてもやさしいおばあちゃんで、正直、死ぬまでいちども怒った顔をみたことがない。仏みたいなひとだった。そんなわけで、おばあちゃんちではフィリピンのおネエさんたちものびのびしていて、わたしがたまにあそびにいったときなども、つかれているはずなのによくあそんでくれた。掘立小屋でオレンジジュースをごちそうになりながらトランプをしたり、庭でバドミントンをやったりしたのをよくおぼえている。たのしかった。そういえば、こんなこともあった。ある日、おばあちゃんから虫かごをわたされ、「おネエちゃんといっしょに外でイナゴをとっておいで」といわれた。わたしは虫とりが好きだったので、「はーい」といいながら、庭にむかった。ピョンピョン、ピョンピョン。イナゴたちがとんでいる。おネエさんといっしょにたくさんとった。とてもかわいかったので、二人で「これをお食べ」といって、なかに葉っぱをいれてあげたりした。

それから、一、二時間してからだろうか。日もくれてきたので、そろそろもどろうかとおもっておネエさんをみたら、おネエさんはじっと虫かごをみつめていた。ちょっぴりさびしそうだ。もしかしたら、かごの鳥というか、ブタ小屋みたいなところにほうりこまれていた自分の境遇を、イナゴたちにかさねていたのかもしれない。とはいえ、お腹もすいてきた。わたしは虫かごをもって、テコテコとおばあちゃんのところにもどっていった。「ただいま、おばあちゃん、イナゴこんなにいっぱいとれたよー。かわいいでしょう」。そういうと、おばあちゃんは満面の笑みだ。虫かごをもったまま、「もうすこしで夕御飯だからまっててね」といって、すごすごと台所にもどっていった。わたしはイナゴのことなんてわすれて、親戚やおネエさんたちとリビングでテレビをみていた。しばらくすると、テーブルにご飯やおかずがならべられていく。そして、おばあちゃんが「やっちゃん、ごちそうができたよー」といって大皿をもってきた。おやおや、なんだろう。のぞきこんでみると、ちっこくて真っ黒な物体がうじゃうじゃうじゃはいっている。小エビかな、うん？「あっ、ああっ！」。わたしは、あまりのことにおもわずさけび声をあげてしまった。イナゴだ、イナゴの佃煮である。あのかわいいイナゴたちが、黒光りする佃煮になってもどってきたのである。いっしょにいたフィリピンのおネエさんも、ものすごい形相でながめていた。あのときのなんともいえない気持ちを、いや、もしかしたらあのおネエさんの表情をいまでもわすれることができない。だれもわるくない。でも、なんか変な気持ちになったのだ。ちなみに、いたしかたなしとおもって、おそるおそるイナゴを食べてみたら、めちゃくちゃおいしかった。こりゃうめえ、やみつきだ。

栗泥棒にまちがわれる

しかし、あのなんともいえない気持ちはなんだったのだろうか。わたしは、このことを考えるのに、中国の古典である『荘子』が参考になるとおもっている。荘子は、紀元前三、四世紀ころの思想家で、とにかく比喩や寓話をふんだんに駆使して、いまでいうアナキズム思想をといていたひとだ。いろいろと紹介してみたい寓話はあるのだが、なかでも「山木篇」というのが好きなので、ちょっとその一節を引用してみたいとおもう。

荘子があるとき、雕陵（ちょうりょう）という栗林の、垣をめぐらしたなかを散歩していると、一羽の奇妙なカササギが南方から飛んでくるのをみた。翼のひろさは七尺、目の直径は一寸もあろうか。それが荘子の額をかすめてから、栗林のなかにとまった。荘子はこれをみて、「これはいったい何という鳥だろう。翼は大きいがいっこうに飛ばず、目ばかり大きいけれども、よく物がみえないようだな」とつぶやきながら、着物のすそをかかげて大股で近より、はじき弓を手に握って引きしぼり、これを射ようとした。

ところが、ふとみると、一匹のセミが快い木陰にとまり、自分の身のことも忘れているのをみつけた。ところが、その蝉のうしろにはカマキリがこれをねらっていて、斧をふりあげているのだが、獲物に心を奪われて、これも自分の身のことを忘れている。このカマキリのあとを、先の奇妙なカササギがつけねらい、わがものにしようとしているのだが、これも獲物に心を奪われて、荘子が弓でねらっていることに気づかず、自分の本来あるべき真の姿を忘れているようすであった。

これをみた荘子は、おもわずぞっとして「ああ、すべて万物はたがいに相手を危険に巻きこみ、利と害とはたがいに相手を招きよせるものだ」とつぶやいた。手にしたはじき弓をすて、身をひるがえして走り去ろうとしたところ、栗泥棒だとおもった番人が追いかけてきて、荘子をきびしくしかりつけた。

家に帰った荘子は、そののち三カ月くらいのあいだ心ふさいだようすであった【注2】。

いいはなしだ。せっかくなので、ちょっと補足して説明しておこう。荘子によれば、およそ生きとし生けるものは、ほかの生物を食らい、そこからエネルギーをもらって生きている。いずれは、自分もほかの生き物に捕食されて、そのエネルギーになるのであり、そうでなくても月日とともに朽ちはてて、土に還っていくのである。微生物の餌食だ。いいかえれば、あらゆる生き物はかならずほろびるのであり、それによってほかの生き物の力となり、その一部となって生きなおしているのだ。この点では、ひとも動物も植物も区別はない。もうすこしいうと、これモノもおなじであり、かたちあるものはかならずくずれ、てんでちりぢりになって、またほかのチリとむすびついて、あたらしいかたちとなって生きなおしている。ようするに、生き物もモノも区別はなく、たえずまわりから力をうばい、うばわれ、そうしてまったくの別物へと変化しているのだ。万物は、生滅変化を無限にくりかえしている。

たぶん、これは人間同士にもいえることだ。文字どおり食べるとか、そういうことではなくて、たとえば恋愛とかでもおなじことをいうことができるだろう。好きな相手に惜しみなく愛情をあたえ、みずからの力を捕食させる。もしかしたら、その過程で、意識しようとしまいと、こちらも相手の力をボリボリと食らい、うばいとっているのかもしれない。相手とともに、これまであじわったことのなかったような快楽に酔いしれる。力があふれる。まったくの別人になったような気分だ。その快楽はむさぼりつくしても、むさぼりつくしても、もっともっとと貪欲になっていく。むろん、むさぼりつくしたそのはてに、愛情が朽ちはててしまうこともあるかもしれない。堕落だ。でも、きっとそれは生滅変化のきざしということなのだろう。ひとはいつだって別物になれる、なっているのだ。蝶にだってなれる、ブタにだってなれる。まちがいない、その境地にたつのがほんとうの意味での自由である。自由無碍（むげ）だ。

しかし、生き物というのはだらしないもので、あたらしいものに変化するとか、朽ちはててしまうとか、死んでしまうとかいわれるとこわくなってしまう。自分だけはちがう、自分だけは捕食する側だ、うばいとるほうの側なんだとおもいこもうとする。ふだんは、朽ちはてるのはあたりまえだとおもっていても、いざ腹がへって獲物をねらいはじめると、もう自分の利害関係だけで世界をつくってしまう。だから、ほんらい自分もほかの生き物に獲物としてねらわれるというのはあたりまえのはずなのだが、自分の世界に閉じこもるとそれがみえなくなってしまう。寓話にもあったように、荘子でさえそうだったのである。あげくのはてに、あろうことか栗泥棒にまちがわれて叱責された。こんちくしょう、恥ずかしい。そりゃあ、三カ月くらいはひきこもる。

ちなみに、荘子によれば、ほかの生き物とくらべて、人間というのはほんとうにたちがわるく、ありもしない不変の世界をつくりだそうとしてしまう。秩序といえばいいだろうか。これが合理的なんだと、わけのわからない理屈をこねて、ひとと動物、モノのあいだには区別があるとか、ひとのあいだにも貴賤の区別はあるとかいってくる。男と女のあいだにも、日本人とフィリピン人とのあいだにも、金持ちと貧乏人のあいだにも。そこにははっきりとしたヒエラルキーが存在していて、ひとはいくらでも動物を捕食してもいいんだとか、貴い人間は賤しい人間をいくらでも収奪していいんだとかいいはじめる。人間はウンコなのである。

どう説明するのがいちばんいいのかわからないが、フィリピン人を豚小屋にとじこめて、その力を一方的にうばいとり、利益をむさぼりつくそうとする日本人が、それだといえばわかりやすいだろうか。きっと、わたしといっしょにイナゴとりをして、虫かごをみつめていたおネエさんは、このことを敏感にかんじとったのではないかとおもう。すくなくとも、黒光りするイナゴの佃煮をみたときは、栗泥棒にまちがわれた荘子の心境とおなじだったのではないだろうか。おネエさんは、人間の、秩序にまきこむその力に怖さをかんじるとともに、その不毛さというか、みょうな不自然さをかんじてしまったのだ。だいたいムリなのだ、不変であることなんて。万物は生滅変化している。イナゴだか、日本人だかしらないが、ぜんぶ喰らってしまえばいい。命ははかないものだ。おネエさんとともに、こういっておこう。惜みなく愛は奪う【注3】。

だまって男と夜逃げしろ

さてその後、ブタさんのおばあちゃんちはどうなったのか。じつは、それから一、二年もたたないうちに、おばあちゃんちの豚小屋はなくなってしまった。おじさんのお店がもうかって、よいアパートに移りすんだとかそういうことではない。あのおネエさんたちが、本領を発揮したのである。これは親や親戚からきいたはなしなのだが、どうもうちのおじさんはやることがえげつなくて、豚小屋の冷房代をケチったらしい。夏、あまりにあついので、フィリピンのおネエさんたちが四六時中、冷房をつけていたのだが、それがつかいすぎだ、電気代がかかりすぎるといって、一時間一〇〇円いれないと、スイッチがはいらないようにしてしまったのである。なんといっても、日本一暑い、群馬の館林のちかくである。夏はゆうに四〇度をこえる。拷問だ。これはあんまりだということで、おネエさんがピイピイとわめきはじめた。ある者は、法的措置にうったえようとした。おじさんにむかって、「これはあきらかに人権侵害だ、うったえる」とつめかける。でも、これじゃあ、おじさんにはかなわない。おじさんは速攻でクビにして、本国に送りかえした。あるいは、ヤクザか暴力か。なにをしたのかわからないが、こわすぎる。

でも、またべつの女の子たちがたちあがる。こんどは直接行動だ。だまって男と夜逃げする。ようするに、店のお客さんと駆け落ちをしたのだが、これ、じつはすごい手で、わたしは法的な手続きのことはよくしらないのだが、フィリピンのおネエさんたちの就労ビザは、おじさんの店の責任でとっている。だから、その期限がすぎて、おネエさんがいなかったり、別件でつかまっていたりしたら、店の責任になるのである。というか、駆け落ちするおネエさんが続出したら、サボタージュになるだけじゃなく、そもそもビザがおりなくなり、店がおわるのだ。おじさんは血眼（ちまなこ）になってさがしたが、なかなかおもうようにみつからないし、おなじことをする娘があとをたたない。これはもうおしまいだ。それからしばらくして、店の娘が売春でつかまり、おじさんは店ぐるみだとうたがわれて、警察にひっぱられていった。どうも、フィリピンのおネエさんではなく、日本の女子高生がやったらしい。まあ、これはほんとうに店ぐるみじゃなかったらしく、おじさんは起訴されずに二、三日で釈放された。でも、ちょうどそのころバブルが崩壊したということもあって、これを境に、おじさんの店もいっきに経営がかたむき、フィリピン人パブも焼き肉屋もバシバシとつぶれていった。因果応報というべきだろうか。おじさんは、ひと夜にして数十億円の借金まみれだ。やむをえない。

ちなみに、蛇足になるかもしれないが、あえていっておきたいことがある。たぶん、いまのはなしをきいたおおくのひとは、おじさんのことをヒドイひとだとおもうかもしれないが、わたしにとってはいいひとで、けっこう恩恵をうけている。うまいものを食わせてもらったこともあるし、フィリピンのおネエさんにもあわせてもらえた。それになにより、いまわたしは、大学の奨学金で六三五万円の借金をせおっているのだが、このことで親や親戚からとやかくいわれたことがない。たいしたことがないからだ、そんなはしたガネは。それもこれもおじさんのおかげである。血筋とでもいうべきだろうか。借りたものは返せない。ありがとう、なむあみだぶつ。

しかし、だまって男と夜逃げするというのは、じつにいい手段である。ほんとうにいいとおもうので、さいごにすこしだけその理解をふかめておこう。さきほど、荘子の生滅変化について紹介したが、かれはその境地にたつということを三つにわけて説明している【注4】。

（一）いっさいは無である。なんにもない。

（二）物は存在するが、境界線や区別はない。無限である。

（三）物の区別は存在するが、そこに価値判断をはさまない。

これはぜんぜんべつのことをいっているのではなくて、おなじものが三つのみえかたをするということだ。ふだん、人間は物ごとを区別して、そこに善悪優劣の価値判断をはさみこんでいる。そうやって、不変の秩序をつくりだし、ほんらい渾沌とした世界を、有限で管理可能なものにしたてあげているのである。もちろん、これはいま権力をにぎっている人たちのための世界だ。フィリピンのおネエさんたちを豚小屋にかこいこみ、その力をさんざん収奪したあげく、日中四〇度をこえる真夏の日々であっても冷房をいれさせない。それが人間だ、不変の秩序というものだ。ろくなもんじゃねえ。しかし、どんなによわい立場の人たちでも、あまりにひどいあつかいをうけていると、ふとなにかに気づいてしまうときがある。突如として、真っ黒なイナゴの佃煮にであうのだ。

日本人だかなんだかしらないが、いつもいばりくさってひどいことばかりいってくる。でも、こいつらだって、いつかはほかのものに食い殺されるのだ。おなじじゃないか、自分たちと。優劣なんて存在しない。それじゃあ、好きな男と恋にでもおちてみよう。自分の身体がよろこびにみちあふれ、自分が自分じゃないかのようだ。無限の生滅変化に酔いしれる。気づけば、まわりにはなんにもない。こちらが無になったのか、それとも豚小屋が消えさったのか。自分をさまたげるものは、もうどこにもない。あとは好きな相手と好きなところにでかけるだけだ。ごきげんよう。だまって男と夜逃げしろ。それは(三)、(二)、(一)とステップをふみ、わが身を生滅変化にゆだねるということだ。わたしは不変の秩序をふり捨てた。どうにでもなれ、なんにでもなれ。

もちろん、この夜逃げというのは、なかば自殺行為だ。故郷でまっている家族を捨てることになるかもしれないし、駆け落ちをしたその先にどうなるのかだってわからない。たいていは、愛欲にさめてどうしようもないところまで堕ちていくことだろう。ただただ朽ちはてるのだ。でも、そこに力をつくしたからこそ、えられたものがある。自分がまったくの別物にかわれるというよろこび、自由無碍(むげ)の境地である。もしかしたら、いまいったように自分の人生はそれで破滅し、おわってしまうかもしれない。でも、もしかしたら、その捨て身の行為にふるいたたされて、ほかの娘も豚小屋を逃げだし、その娘がうまくいくことだってあるかもしれない。自分のはなった愛欲の火の粉が、われしらずあたらしい愛欲の業火となってもえひろがるのだ。すてきである。この業火は、豚小屋を焼きはらうことができるだろうか。ひとがひとを支配する不変の秩序をもやしつくすことができるだろうか。神風がふけば、すなわち無敵。ブタが鳴く、ピイピイと。ブタが鳴く、ピイピイと。炎をまきちらせ。豚の女はピイピイとわめく。

（注1）「仔ブタとヤギとヒツジ」（『タウンゼント版イソップ寓話集』hanama 訳：http://aesopus.web.fc2.com/Aesop/Aesop1.txt）。

（注2）『荘子Ⅱ』（森三樹三郎訳、中央公論新社、二〇〇一年）八〇―八一頁を筆者がひらがな多めの表記にした。

（注3）これは有島武郎の評論のタイトルだ。「惜みなく愛は奪う」（一九一七年）。興味のあるかたは、青空文庫でどうぞ。

（注4）『荘子Ⅰ』（森三樹三郎訳、中央公論新社、二〇〇一年）四六頁を参照のこと。

だまってトイレをつまらせろ
——船本洲治のサボタージュ論

生まれてはじめて、山谷（さんや）にいく

いまから五、六年まえくらいだったろうか。三年くらいつづけて、山谷の越年闘争というのに参加したことがある。参加したといっても、ほんとうに一日だけ、お手伝いにいっただけなのだが、それでもいろいろとかんじることがあった。せっかくなので、すこしそのはなしからはじめてみたい。もしかしたら、山谷とか越年闘争とかいってもしらないというひとのほうがおおいかもしれないが、山谷というのは、東京の寄せ場のことで、駅名でいうと南千住とか三ノ輪とかの近辺にある。もともとは、日雇仕事をあっせんする手配師がたくさんいて、そこに日雇労働者がよせあつまってき

たそうだ。それを寄せ場とよぶ。山谷はけっこう規模がおおきくて、大阪の釜ヶ崎、横浜の寿町とならんで、日本三大寄せ場のひとつといわれている。

ちなみに、いまいってもその雰囲気はわからないのだが、高度成長のころは土木や建設、港湾の仕事などがおおくて、けっこうにぎわっていたらしい。でも、一九七〇年代なかばくらいからだろうか、不況になると、仕事にあぶれてホームレスになる人たちが続出する。年をとって体がおとろえてしまったひとや、ケガや病気になってしまったひとはなおさらである。だから、いちおう行政機関が日雇いの仕事をあっせんしたり、仕事がなければ、スズメの涙ほどのあぶれ手当をだしたりする。でも、お役所というのは、ほんとうに冷酷なもので、年末年始はかんぜんに窓口をしめてしまう。おおくの人たちが、カネもなく、仕事もなく、さむさをしのぐ場所もなく、飢えて死にそうになってしまうわけだ。それで、ふだんからやっていることでもあるのだが、活動家の人たちがよびかけて、炊き出しをやったり、小屋をたてて、みんなでさむさをしのげる場所をつくったりするのだ。これを越年闘争という。

わたしがはじめていったのは、たぶん二〇〇八年の正月とかだったとおもう。友人といっしょに、昼すぎくらいにいってみた。すると、活動家の人たちと山谷のおじさんたちが、なにやら熱心に討論をしていた。すごい活気がある。おお、なんだろう。耳をたててきいてみると、「カレー」とか、「トン汁」とかきこえてくる。そうだ、その日のメニューをきめていたのだ。そりゃあ、熱心にもなる。けっきょく、その日はモツ煮込み汁にきまった。そのあと、買い出しにいくひとをきめて、何時から調理をして、何時くらいから食べるのかをテキパキときめていった。みごとなものだ。これはあとで活動家のひとにきいたはなしなのだが、こうやってみんなでなにを食べるのかをきめて、みんなでつくっていく過程がだいじなのだという。ふだん社会から邪険にあつかわれ、とかく無気力になりがちな人たちが、自分たちのことを自分たちできめる、そういう訓練をすることに意味があるのだと。山谷の人たちは、これを共同炊事とよんでいた。

わたしはなにをしたらいいのだろう。きょろきょろしていると、活動家のひとがこっちにこいとさそってくれた。いってみると、ちょっとおおきめの木材が何本かころがっていた。これから炊き出し用のまきをつくるのだという。よし、がんばろう。斧みたいのはないですかときくと、そんなのはねえよという。じゃあ、どうするんですかときくと、活動家のひとは、えいっといって、バシバシと木材をふみはじめた。木材が粉砕されて、いいぐあいにわれていく。すげえ。わたしもやってみたが、ぜんぜんわれない。ちくしょう。手でもって、おもいきり地面にたたきつけてみたが、それでもぜんぜんダメだ。活動家のひとはケラケラとわらいながら、「兄ちゃんはペンしかもったことないんだろう」といっていた。おはずかしながら、じじつそうだ。けっきょく、一本もわれずにスミマセンといって退散した。もくもくとタバコをふかす。しばらくすると、買い出し班がかえってきて、みんなで調理することになった。机をセットして、野菜をきる。一〇〇人、二〇〇人くらいの炊き出しだから、けっこうな作業量だ。よし、これならば。わたしはさきほどの汚名返上といわんばかりにはりきっていた。目のまえにニンジンと包丁がおかれる。わたしはふだん料理をしないのだが、このくらいならできるだろう。さっそく、包丁をニンジンにあててみたが、ぜんぜん切れない。あれ、ニンジンってこんなにかたかったっけ？　あきらかにカチコチンに凍っている。これはもうほんきをだすしかない。うりゃあといって、包丁をおすとストンっといい音がした。やったぜ。ニンジンをみると、どうしたことか切れていない。うん？　よくみてみると、オレンジ色のニンジンが真っ赤にそまっている。わたしはそこで自分の親指が切れていて、ブシューっと血がふきでていることに気づいた。「うぎゃー」。さけび声をあげると、活動家のおねえさんがやってきて介抱された。水道水で血をながし、二、三枚、バシバシとバンドエイドをはってくれた。

無用者の晩餐会

そのあとはもうダメだ。まだ手伝いますよといってみたが、「みんなが食中毒になっちゃうからやめてください」ととめられた。そりゃそうだ。調理もできなければ、皿洗いすらできやしない。なんの役にもたちやしない。しょんぼりしながら、ぼーっとしていると、みるみるうちに食事ができあがっていく。ドラム缶みたいなバカでかい鍋に、みんなで切った野菜やら、モツやらが無造作にどさどさといれられていく。それで薪に火をともし、ジャンジャン煮こむ。わたしはさむかったので、ずっと火にあたりながらタバコをふかしていた。そんなこんなで、まもなく食事はかんせい。活動家のひとが合図をすると、いっせいにみんながどんぶりもって、きれいにならんだ。わたしはちょっと遠慮していたのだが、ひとのよさそうなおじさんがやってきて、「兄ちゃん、はやくならびなよ」といってくれた。わたしが「いやいや、指をきっちやって、なにもできなかったので」というと、おじさんは「ここはそういうやつが食っていいとこなんだぜ、ほら」といってどんぶりをくれた。ならんでいると、そのどんぶりに大もりの白米がもられ、そのうえにサラダがもられて、さいごにモツ煮込み汁がぶっかけられた。汁がこぼれるほどいれてくれた。うれしい、あつい、指がいたい。

みんなで、いただきますといって食べはじめた。うまい、うますぎる。人生で一、二位をあらそうほどのうまさだ。サラダにかかったマヨネーズと、モツ煮込み汁がまざりあって絶妙のあじになっている。そして、ものすごくさむい日だったというのもあるのだろう。からだがいっきにあたたまっていくのをかんじた。エネルギーがしみわたっていく。よっぽど、しあわせな顔をしていたのだろう。さきほど声をかけてくれたおじさんがやってきて、「どうだい、あじは?」ときいてきた。「最高です」とこたえると、むこうも満面の笑みだ。そのあと、メシをかっくらいながら、おじさんとすこしはなした。おじさんは、「あのな、オレ、あのスカイツリーってのをつくってんだよ、すげえだろう」といっていた。ほかにも全国各地を転々として、いろいろな建物をつくっているらしい。まじですごい。わたしが「いやあ、ぼくなんてきょうみたいになんの役にもたたなくて」というと、「エッヘッへ、いいんだよ、きてくれるだけで」と、ただそういって笑っていた。いいひとだ、ほんとうに。無用者の晩餐会。はたらかないで、たらふく食べたい。わたしはこのときから、いつもそうおもうようになっている。

さてこうして、わたしのはじめての山谷体験はおわった。たのしかった。でも、それから数カ月後のことだ。なかよくなった山谷の活動家で、わたしよりも五つくらい年下の女の子が、こうはなしかけてきた。「このまえ、やっちゃんとなかよくはなしていたおじさんいたでしょう」。「うん、すごくおせわになったよ」とこたえると、かの女はこうきりだした。「あのね、死んじゃったんだよ」。ええっ。病気だったというが、なんで死んだのか、ほんとうのところ詳細はわからないらしい。というか、本名だって、年齢だって、生まれた場所だって、なんにもわからないのだ。健康保険があったとはおもえないし、きっと気づけば手遅れで、苦しみもだえながら死んでいったのだろう。ちくしょう。ちょっとショックというか、なんともいえない気持ちになった。たぶん、これはいわゆる市民社会の人間というか、尊厳ある死にかたではない。市民社会からしたら、そんなのみたくもない、ゴミや汚物のたぐいでしかないのだろう。でも、わたしがおもうのは、市民社会とか、人間の尊厳って、いったいなんなんだろうということだ。カネを稼げなきゃ、役にたたないといってゴミあつかいし、医者にもかよえずにバタバタとひとが死んでいっても、みなかったことにする。それが社会だ、人間だ。わたしはそんなつめたい人間よりも、なにもできなくてもいいからとっとと食えっていってくれた、あのおじさんのほうがよっぽどあたたかみがあるし、尊厳ある生きかたをしていたのではないかとおもっている。尊いのだ、見返りなんてもとめずに、他人によくしてくれたのだから。でも、それすらもみとめずに、むしろつぶそうとしてくるのが市民社会だ。はたらかざるもの食うべからず、汚いかっこうをしているやつらはひとでなしだといいはって。どうしたらいいか。駆逐してやる。わたしは率直に市民社会というやつをだいなしにしてやるしかないとおもっている。これから、いくつかそのための方法をさぐってみよう。

ドブネズミのごとく、白豚どもの市民秩序をあらしまわれ

市民社会をだいなしにする。このことを考えるのに、いちばんよい思想家が船本洲治だとおもう。かれは、一九六〇年代末から七〇年代初頭にかけて活躍した、山谷、釜ヶ崎の伝説の活動家である。一九六八年当時、広島大学の学生だった船本は、三里塚闘争の支援におもむき、帰りにたまたま山谷によりみちをした。そこで山谷の現状をまのあたりにし、またいまにも暴動がおこりそうなその雰囲気をみて、こりゃおもしろいとおもった。大学の友人たちをさそって、山谷にはいる。その後、釜ヶ崎といききしながら、いっきにいまにいたるような寄せ場の運動をつくっていった。もちろん、かれの行動力もすごいのだが、なによりすごいのはその思想であり、ことばの力である。ここではすこし、船本の思想を紹介してみたいとおもう。

船本の特徴は、いまでいうところのフリーターのとらえかたにある。当時は、ルンペンプロレタリアートとよばれていたのだが、かんぜんに蔑称としてもちいられていて、日雇労働者からホームレスにいたるまで、定職についていない人たちは、差別的な目線にさらされることがおおかった。はたらく気力がないとか、きたならしくて生活態度がなっていないとか、アル中でまともな思考ができないとか、世間の人たちからもそういわれていたし、じつのところ左翼からもそういわれていた。それはそうで、左翼の人たちからすれば、おおきな大衆団体を組織して、それをバックに国家権力をにぎるとかそういうことしか考えていなかったのだろうが、その点、ルンペンプロレタリアートは数もまばらだし、各地を転々としているわけだから大衆団体をつくりづらい。なにより、その生活態度をうたがっていたわけだから、上からの命令というか、動員をかけてもしたがってくれるかどうかもわからないだろう。そんなわけで、ルンペンプロレタリアートは、左翼からも排除されていたのである。

そうした現状をふまえて、船本はルンペンプロレタリアートを肯定的にとらえかえすところから議論をはじめた。

われわれの基本的姿勢は、人民にたいしては《労務者こそが未来をわがものとするところの労働者である》ことを公然と宣言し、白豚どもにたいしては《労務者としての特殊な存在状況を奴らを打倒する武器に転化する》ことによって、存在をしめしはじめた、この世に存在しないことになっている者どもの存在がいかに《道理》のある存在であるかをおもいしらせることである【注1】。

ここで、船本は労務者、つまりルンペンプロレタリアートこそが未来をわがものとする労働者だといってのけている。未来をわがものとする労働者というのは、ようするにマルクス主義でいうプロレタリアートであり、階級闘争の主役である。船本によれば、ルンペンプロレタリアートは白豚ども、つまりブルジョアジーとはまったくあいいれない、むしろそれをたたきのめす武器をもっている。だからこそ、かれらが真のプロレタリアートなんだといっているのである。とはいえ、これだけだとまだ「はあ？」というひとのほうがおおいとおもうので、もうすこし船本のことばをおってみよう。

資本主義国家の歴史的特質は、経済的下部構造から政治的上部構造への分離という点にある。生産過程が資本の生産過程にすり変わり、生産過程における搾取―被搾取という階級支配の基本的構造が商品経済過程でおおわれ、商品経済秩序（＝商品売買秩序、市民秩序）を維持することによって自動的に生産過程における搾取を貫徹することができるというきわめて巧妙な制度であり、商品経済社会（＝市民社会）ではそれゆえ、資本家も労働者も対等（没階級的）な商品売買者としてたちあらわれ、階級的怒りや侮蔑が持てる者と持たざる者、富める者と貧しい者としての感性、ブルジョア的感性として現象する。したがって白豚どもは市民秩序の維持にヤッキとなり、ブルジョア国家が法治国家の衣をまとわざるをえないのである。かかる事情からわかるように、資本主義制度における「不良労務者」は二重の意味において追放（隔離）される。一つは不良なる労働力商品としての生産過程からの追放であり、もう一つは秩序のカクラン者としての市民社会からの追放である【注2】。

これ、前半がちょっとむずかしそうにかかれているが、いっていることはすごく単純だ。資本主義は生産過程と商品経済秩序にわけられる、そしてとりわけ後者に力点がおかれるようになっているということだ。生産過程とは、工場なりなんなりで、労働者がはたらくということであり、労働力商品を提供するということである。商品経済秩序とは、流通過程といいかえてもいいとおもうが、商品を売るプロセスのこと、物流から販売、消費にいたるプロセスのことである。消費ということでいえば、それを買う人たちの文化や秩序ができあがっているわけで、船本は、そうした社会のことを市民社会とよんでいる。ひとはなぜはたらくのかというと、カップルなり、家族なりでよりよい消費生活をたのしむためだ。市民社会の向上のためにはたらいている。でも、船本いわく、ルンペンプロレタリアートは、そのどちらからも追放されている。はたらく気がないとみなされているし、よりよい家庭生活だとか、よりよい消費生活だとか、そういうのをのぞんでいないとみなされている。生産過程からすれば、不良商品であり、商品経済秩序からすれば、秩序のカクラン者である。

これだけみれば、ルンペンプロレタリアートはただ排除されているだけである。でも、さいしょに引用した文章をおもいだしてほしい。船本は、かれらの抑圧された状況そのものを武器にするんだといっていた。どういうことかというと、ようするにひらきなおってしまえということだ。はたらかない、はたらけないし、なにも買わない、買うこともできやしない。だったら、それに徹して生きるみちを考えてしまえばいい。それだけでもう、資本主義からの離脱である。もちろん、白豚どもはそれをゆるさない。怠け者、キチガイ、前科者、犯罪者、ならず者、はみだし者、アル中などと、ありとあらゆるバリ雑言をなげかけてくるだろう。おまえらはわるいことをやっているんだと負い目をせおわせて、だまらせようと必死になる。でも、そんなことをされるくらいなら、こっちももうほんきになるしかない。悪意だ、狂気だ、犯罪だ。

白豚どもによって悪意あるレッテルを貼られた不良労務者たちは市民秩序をドブネズミのごとく荒らしまわっている。釜ヶ崎を根城とする全国を股にかけたシノギグループ、強姦殺人狂荒井博則、有名人強盗新谷良人、山谷を拠点として山手線を荒らしたスリ・グループ、東京タワー事件の富村順一、横浜寿町を根城とした窃盗団、等々……。永山則夫も川崎で日雇いをやっていた時期があった【注3】。

ふだんから、ルンペンプロレタリアートは市民社会をつまはじきにされ、あたまがおかしいとかいわれている。それなのに、さらに非人間的なあつかいがエスカレートするならば、ほんとうに狂ってしまうしかない。市民社会からの逸脱だ。窃盗でも殺人でも、なんでもやって生きていくしかない。ドブネズミがどんどんわきあがってくる。市民社会をだいなしにしてやりたい。その秩序を喰いちぎってやりたい。あたまのおかしいドブネズミが、われさきにと白豚どもの市民秩序をあらしまわっている。

サボタージュの哲学

もちろん、船本が運動として窃盗や殺人をよびかけていたわけではない。かれはルンペンプロレタリアートがいっせいに怒りを爆発させ、市民秩序をぶちこわしていくのを暴動のなかにみてとっていた。一九六〇年ころから、山谷、釜ヶ崎では、いくどとなく数千人、数万人規模の暴動がおこっていた。理由はまちまちらしいが、なかまの日雇労働者が、警官や悪徳手配師、ヤクザなどにひどい目にあわされたのをききつけて、コノヤロウとみんなでたちあがり、ハチャメチャにあばれまくるのである。おさえなんてききやしない。秩序紊乱だ。たのしすぎる。船本は、暴動についてこんなふうにかいている。

釜ヶ崎＝山谷暴動に共通して言えることは、仲間が警官に差別的、非人間的に扱われたことに対する労働者の怒りの爆発として始まった点である。仲間がやられたことに対する、労働者個々人の日常的な屈辱感、怨念、怒りを背景とした大衆的反撃、下層労働者の階級的憎悪の集団的自己表現としての武装、これが暴動の内実である【注4】。

暴動は、下層労働者の自己表現である。市民社会からあしげにされた怒りをそのままおもてにあらわす。車に火をつけたっていい、交番に火をつけたっていい、商店に火をつけたっていい、もちろん石つぶてだっていいし、そのへんにころがっている木材でもガラクタでも、なにをどうつかったっていい。ぶちこわすのだ、市民社会の秩序というやつを。船本は、これがもっとも革命的な行動だと考えた。じつはこれ、けっこうすごいことだ。ふつうの左翼だったら、暴動は肯定しない。ハチャメチャにやって、いろいろとみだすだけみだして、とくになにが要求かもわからない。これでは世間から、マスメディアから社会的支持をえることなんてできやしない。ひとをおおくあつめたいのに、これではさっていく一方だ。むしろ、暴動なんて否定して、まじめにはたらけ、賃金をあげよう、消費生活をたのしもうといったほうが、たくさんのひとをひきつけられるのである。市民社会だ。船本は、そういうのもぜんぶひっくるめて、ヤッツケテしまえ、それが下層労働者の自己表現だといったのである。

船本がおもしろいのは、これを日雇労働者がふだんからやっていることとむすびつけて考えていたことだ。暴動では、おもむろに市民社会からの逸脱がみてとれるが、そればかりじゃない、日雇労働者はもっといろんなかたちで、姑息に、秘密裏に、秩序紊乱をおこなっている。むしろ暴動というのは、それがたまたま公然化されたというだけのことだ。だったら、そのコツをとらえ、みずからも実践し、まわりをどんどんあおっていきたい。船本は、たとえばということで、自分が日雇労働者としてはたらいた経験をもとに、つぎのような例をあげている。

ある工場のトイレが水洗化され、経営者がケチッてチリ紙を完備しないとする。そのとき、

①労働組合は広範な労働者に呼びかけ、代表団を結成し、会社側と交渉し要求を受け入れてもらう。②戦闘的青年労働者は闘争委員会を結成し、暴動を起こすぐらいの実力闘争をやり、会社側を屈服させ、要求を呑ませる。③ある労働者は新聞紙等の固い紙でトイレをつまらせる。

——①は、現実の階級支配を認め、自己を「弱者」として固定し、敵を対等以上

の交渉相手として設定し、自己の存在を敵に知らせ、陳情する。

――②は、現実の階級支配にいきどおり、自己を「強者」として示し、敵を対等以下の交渉相手として設定し、自己の存在を敵に半分知らせ、実力で要求をのませる。

――③は、現実の階級支配を恨み、自己を徹底した「弱者」として設定し、したがって自己の存在を敵に知らせず、かつ敵を交渉相手として認めず、隠花植物の如く恨みを食って生きる【注5】。

トイレにチリ紙がなかったらどうするのか。①と②は、市民社会の論理だ。ふだんから、正規労働者は組合をつくり、経営者との交渉回路をきずきあげている。賃金をあげて、よりよい消費生活をおくりたいとおもっているからだ。ようするに、労使交渉というのは、市民的秩序のひとコマなのである。あとはその秩序のもとで、なあなあで交渉をするのか、ガツンと圧力をかけて、物的要求をとおすかのちがいがあるだけだ。これでチリ紙もかちとることができる。でも、③はちょっと位相がちがう。ここで想定されているのは、あきらかに日雇労働者である。

日雇労働者は、経営者と交渉するつもりなんてないし、そもそも、そんな交渉は成立しない。おなじ会社員ではないし、おなじ市民社会の人間とはおもわれていないからだ。それなのに、経営者にチリ紙を要求するなんて時間のムダだろう。そんなヒマありゃしない。だったらということで、クソをしたら、新聞紙でも雑誌でも、かたかろうがなんだろうが、あるものでケツをふいて、バンバンながしてしまうしかない。ひとは腹がいたくなったらクソをするのであり、ケツをふくのである。トイレ、こわれる。自然にだ。トイレがなければ、はたらけない。じゃあサボろう。あとは修理費をはらうのか、チリ紙をおくのか、経営者が自分でえらべばいいことだ。だまってトイレをつまらせろ。それがサボタージュの哲学だ。恨みを喰らう隠花植物。各人各様、なんでもできる。

貧乏になるのは、ショッピングをするのとおなじことだ

さて、ここまでかけあしで、船本の思想を紹介してきたが、わたしはこういった議

論がいまこそ必要なんだとおもっている。いまよく「社会の総寄せ場化」ということばがつかわれているが、すでに非正規のはたらきかたはこの社会に全面化している。とりわけ、抑圧された存在状況というときの、その抑圧のされかたがすごく似ている。いや、むしろもっとひどくなったということができるかもしれない。だったら、船本がルンペンプロレタリアートについてかたっていたことを、いまのフリーター、ニートにもちいることができるのではないか。最後に、この点をすこし考えておこう。

船本は、資本主義を生産過程と市民社会のふたつに区分していた。そして、なによりも市民社会の抑圧をふりはらおうとしていた。このことを労働と消費というシンプルなことばにかえてみるとよりわかりやすくなるとおもう。これはフレデリック・ロルドンがいっていることなのだが、もともと工場労働をモデルにした社会では、消費のための労働がおこなわれていた【注6】。労働というのは、たいくつで苦痛をともなうものであり、それにたえて賃金をもらう。これにたいして、消費というのはたのしくてよろこびをともなうものであり、それを実現することによって、人間らしさというか、個性がつちかわれる。消費は、多様な商品のなかから自分で好きなものを選択しているのであり、それによって自分をかっこうよくみせたり、よりよい家庭生活をおくったりしているのである。まわりにどうみられるか。消費は、人間の社会性をあらわしている。そのためにひとははたらくのだ、そんなふうにいわれてきた。これをやろうとしているかぎり、国家はひとに手をさしのべる。福祉国家だ。

おそらく、船本が論じていたルンペンプロレタリアート蔑視は、このことと密接にむすびついている。かれらは、たんにはたらかないから非難にさらされていたわけではない。それだけだったら、正規労働者だっておなじことだ。賃上げのためにストライキをうち、仕事をさぼったりしている。でも、なぜ賃上げしているのかというと、ハッピーな市民生活をおくるためであり、よりよい消費をするためだ。そう、人間的なのである。それにくらべて、ルンペンプロレタリアートは、あまりはたらかないばかりか、まともな市民生活をおくろうともしていない。いつも汚いかっこうをして、アル中になることがおおく、家庭をもつこともできやしない。人間じゃない。しかも消費というのは、いろんな選択肢のなかから、自分で好きなものをえらぶことである。かれらはすすんで非人間的なこと、反社会的なことをやっている、そうみなされたわけで、だからこそ、ルンペンプロレタリアートは異様なほどの倫理的非難をあびせかけられたのであり、福祉国家も手をさしのべなかったのである。

これが一九七〇年代前半くらいまでのことだ。このころから労働と消費の関係がおおきくかわってきた。労働と消費が一体化したのである。いまからおもうと、その後ずっとなのだが、おおくの国が不況になって、とにかく売れるものだけをつくらなくてはならなくなった。消費されるものだけをつくる。消費されるときにだけひとをやとう。これが非正規雇用だ。ロルドンによれば、これではたらきかたもかわって、労働者はいつでも消費者のようにふるまい、たのしいもの、個性あふれるものをつくらなくてはいけないといわれるようになった。消費としての労働だ。労働はショッピングであり、よろこびであり、人間性を発揮する行為であると。

おそろしいのは、結果、大多数のひとが貧乏になったのに、それすらショッピングのように自分で好んでえらんだ結果だといわれるようになったことである。フリーターになるのも個性、ニートになるのも個性、ホームレスになるのも個性だ。そして、かれらは仕事をもつことを放棄したといわれ、世間から倫理的な非難にさらされる。なぜなら、それは消費を放棄することにひとしいからだ。仕事をもたない、もてないということは、自分で人間じゃない、市民じゃないといっているにひとしいのであり、反社会的な行為なのである。自己責任だ。とうぜん、国家はカネをださない。

狂気を喰らえ

ながながとまじめにかいてしまったが、いいたかったのは、船本が論じたルンペンプロレタリアートと、フリーターやニート、ホームレスの抑圧のされかたがおなじだということだ。たぶんいまのほうがたちがわるい。でもそうはいっても、ほんとうのところ、消費としての労働という論理は、もう破綻しているんじゃないかとおもう。だいたい、労働が個性になんてなるわけがない。二〇〇〇年代初頭、それこそＩＴバブルとかあったころ、こういう議論がはやっていたが、いまでも信じているひとがいたとしたら、よっぽどの大バカ者だ。どんなにいい仕事だって、カネをかせぐためには自分らしさをけずらされるのであり、けっきょくカネのためにかせぐのである。あたりまえだ。

それに、どんなに消費としてのうんぬんといったって、そもそも当の消費ができなくなっている。みんなが貧乏になったからだ。家をもてない、車をもてない、結婚もできない。市民生活、崩壊だ。もはや、メディアでたれながされるイメージをのぞいて、目のまえに好みの商品は陳列されていない。買えないのだ、たいていのものは。でも、だからこそなのだろうが、市民社会は消費をしないことはわるいことだとおもわせてくる。その最たる手段が借金だ。あるていど貧乏でもクレジットカードをもてるようにして、借りたものは返せといいつのる。返せないのはひとでなし、たくさん返せたひとはそれだけえらい。いまでは、借金とその返済が人間の個性と社会性を担保しているようだ。はっきりいっておかなくてはならない。この社会は狂っている。

わたしたちは、そのおおくが生産過程からも市民社会からも追放されている。たとえ必死にはたらいたとしても、非正規であれば人間じゃないかのようなあつかいをうける。しかも、そうされたくなければ、借金をしてでも消費をたのしめとかいわれてしまう。侮辱じゃないか、そんなもの。どうしたらいいか。わたしは船本がこたえをだしているのだとおもう。この世にはびこる消費の論理をうて。人間のよろこびが、カネではかりにかけられるわけがない。市民社会をだいなしにしてやろう。わたしたちは、かつての日雇労働者がやっていたように、だまってトイレをつまらせることができるだろうか。すでに予兆はある。たいていの場合、借りたものは返せなくなっているし、ひとりでも共同でも、都市部にいても地方に移住してでも、手軽な場所をみつけ、なるたけカネをかけないで生活しようというひとはけっこうおおい。きっともうすこししたら、なるたけテマをかけずに、自給できる方法だってどんどん発明されてくることだろう。はたらかないで、たらふく食べたい。社会が狂うのか、それとも自分が狂うのか。うすよごれたドブネズミが、カサコソとサボタージュにいそしんでいる。黒いネズミたちよ、狂気を喰らえ。

（注1）船本洲治「敵はある意図をもって釜ヶ崎を……」（『黙って野たれ死ぬな――船本洲治遺稿集』れんが書房新社、一九八五年）五三頁を筆者がひらがな多めの表記にした（以下同）。
（注2）同上、五五―五六頁。
（注3）同上、五五頁。
（注4）同上、「暴動は下層労働者の自己表現」、一四四頁。
（注5）同上、「現闘委の任務を立派に遂行するために」、一五二―三頁。
（注6）フレデリック・ロルドン『なぜ私たちは、喜んで〝資本主義の奴隷〟になるのか？』（杉村昌昭訳、作品社、二〇一二年）を参照のこと。

文庫版増補

シカ人間の精神
――危機のときほど、遊んでしまえ

奈良公園でシカに食われる

むかし、シカに食われたことがある。かまれたんじゃない。食われたんだ。二〇代のころ、わたしはよく男友だちと三人で京都に旅行にいっていた。そこでハマったのが六波羅蜜寺の空也上人像だ。仏像のすばらしさもさることながら、なんか手にはシカの角がついた杖をもっていて、腰にはシカの皮袋をたれさげている。ど迫力だ。みんなでこりゃすごいねといって、宿にもどってからいろいろしらべていたら、空也だけじゃなく、平安末期あたりから、シカの皮をまとって山にはいり、ひたすら踊っているお坊さんたちがすげえいっぱいいたということをしった。畜生法師だ。そんな事実をしってしまったら、二〇代の男子はもう大興奮である。ノリで明日は奈良にいこうぜ、シカをみようぜということになった。わたしにとっては、生まれてはじめての奈良旅行だ。

翌日、意気揚々と奈良にいってみた。とりあえず、東大寺の大仏のほうにむかってみる。すると、とちゅう奈良公園にうじゃうじゃとシカたちがいるのがみえた。うお、シカだ、シカだ。みんなで歓声をあげた。よし、交流だ、交流をしよう。シカせんべいを買って、エサをあげてみることにした。ホラッ、ホラッ。友だちがせんべいをくれてやると、シカがあつまってきて、むしゃむしゃとおいしそうに食べていた。わあ、かわいい。わたしもやってみようとおもい、袋からせんべいをとりだそうとガサゴソやっていると、その一瞬のことだ。前方からすごいいきおいで、シカがドーンッと突進してきた。うっ。わたしがタックルをくらってひるんでいると、すかさず、ふところにもぐりこんできた。パクッ。ぎゃああ!!! なんと、わたしの胸に食らいついてきたのだ。いてえよ、いてえよ。わたしが後ろにさがっても、そのままついてきてはなれない。

こいつ食う気だ。わたしは恐怖をかんじて腰くだけになってしまい、友だちにたすけをもとめたが、なんか笑っていてたすけてくれない。あいつシカに食われてるぞと。マジなのに。どうしたものか。フッとまわりをみわたすとやはりシカにおそわれ、バッグをうばわれている女性のすがたがみえた。きゃああ。悲鳴がきこえてくる。地獄絵図だ。どうやら、わたしはシカをみくびっていたようである。それまでわたしはシカといえば、いろんな動物に狩られてばかりでよわよわしく、しかもひとにチョロッと餌づけされただけでなびいてしまう、あたまのわるい存在だとおもっていた。よわっちくて、いつも生存の危機にさらされているから、つよいもののいうことならなんでもきいてしまうのだと。でも、それはぜんぜんちがっていた。よわっちいのは、わたしのほうだ。現にやられているのだから。だいたい、ちょっとカネがなきゃ死ぬとおもって、デタラメな仕事でもなんでも、ひとのいうことをきいてしまうのは人間のほうじゃないか。人間は人間にこびへつらう。でも、シカは死んでもこびやしない。

そうおもったら、なんだかすごく悔しくなってきて、体全身から異様な力がわきあがってきた。ちきしょう、食われてたまるか。フオオオ、フオオオオオ!!!　断末魔のさけびだ。大声をあげて体をブルンブルンふると、シカがビクッとしてたじろいだ。

スキあり。わたしはシカをかんぜんにふりはらい、逃げおおせることができた。よっしゃ、勝ったぜ。なんだかすげえすがすがしくて、ひと目も気にせずに、ガッツポーズをしてしまった。そういえば、わたしたちが京都であこがれた畜生法師は、シカの皮を身にまとっておどることで、ほんとうにシカになろうとしていたのだといわれている。だれの目も気にせずに、おたけびをあげて、むちゃくちゃな跳躍をしまくっていると、自分がシカみたいな、人間じゃないようなうごきをしているんだと実感できる。武士だか貴族だかしらないが、そういうやつらに飼いならされて生きるのは、もううんざりだ。死んでもこびたりはしないんだと。そういう力をシカからもらっていたんじゃないだろうか。わたしも短時間ながらシカと決闘をして、おなじような力をもらいうけたんじゃないかとおもう。

ただ食いたいんじゃない、どんちゃん騒ぎがしたいんだ

ながながと、わかいころのはなしをしてしまったが、それはさいきん大学で授業をやっていて、このことをおもいだしたからだ。じつは今年から、世界史の授業を担当

していて、さいしょになにをおしえようかとおもったのだが、せっかく人類史の九九％以上が先史なので、これで一時間やろうとおもい、石器時代のはなしをしたのだ。ひさびさに、高校時代の教科書をひらいてみて、まず目をひいたのはラスコーの洞窟壁画。これはいまから一五〇〇〇年まえに、フランス・ラスコーの洞窟で、クロマニヨン人がかいたとされる壁画だ。これがまたヤバすぎる。シカやウマ、ウシなどの動物がものすごくいきいきとえがかれていて、しかもトリのあたまをかぶった人間がでてきたりする。それで興味をもって、ほかの洞窟壁画もみてみると、こんどはシカのあたまをかぶった人間がうひゃあといいながらおどっている、そんな絵もあったりするのだ。

これがなんなのかということについては、いくらでも解釈できるとおもうが、たぶん畜生法師とおなじなんだとおもう。人間が狩りをやって、なんとかシカをとることができた。その角をつかって矢じりやモリ、つり針なんかをつくりはじめる。そしたら、人間の力がぜんぜん想像もしていなかったくらいすごいものになっているわけだ。弓矢をもった瞬間に、自分よりもぜんぜんうごきがはやいとおもっていた獣を、いともたやすく狩ることができるようになったわけだし、なんとなれば、空とぶトリさえもおとすことができるようになったわけだ。シカの力をもったそのときから、人間がすさまじいスピードでうごき、空をもとぶことができるようになった。ラスコーの洞窟絵画で、ひとがシカのあたまをかぶったりしているのは、きっと文字どおり人間がシカになったということをよろこび、ほこるという意味があったんじゃないかとおもう。かたじけねえ。

いいかたをかえてみよう。クロマニョン人は、シカになることそれ自体を、生きるよろこびだとおもっていたのだ。授業準備のために、ながらくツンドクしていたマーシャル・サーリンズ『石器時代の経済学』（法政大学出版局）をよんでみたのだが、この本によれば、石器時代から、狩猟採集民の特徴は三つあるのだという。ひとつめは、極力はたらかないことだ。よく現代人は、狩猟採集民を未開人とよんでバカにして、かれらはつねに飢餓状態にさらされていて、ひたすら食料をもとめて狩りをやりつづけている。だから余暇もないし、文化的な生活をおくることができないんだと。でも、それは大ウソで、狩猟採集民の一日の平均労働時間は二、三時間である。ちなみに、これは毎日はたらいているということじゃない。狩りをするときは六時間くらいやる。でも、いちど獲物をとったら食料があって、はたらく必要がないから、一日、二日やすむのだ。はたらいていないときはめいっぱい昼寝をしたり、おしゃべりをしたり、夕寝をしたり、セックスをしたり、ハチミツをとりにいったりする。こんなに文化的なことはない。

二つめは、宴会好きということだ。たまにいい獲物がとれたり、外部から客人がきたりすると、とにかく連日、うたげをひらく。のちのちのことを考えて、たくわえをつくっておくとか、そういう発想はない。あとさきなんて考えずに、ひたすらさわいで飲み食いしてしまう。たまらない。でも、それは結果的に狩猟採集民にとって好都合だったりして、かれらは住みやすく、おいしいものがとれる場所をもとめて、ちょくちょく移動するわけだから、たくさんたくわえがあると荷物になって、ジャマでこまるのである。もたざるものは、どこにでもいける。ひとはほんらい無一物だ。

そして三つめは賭博本能だ。とうぜんながら、狩猟採集は自然の変化に左右される。おもうように山菜だの、キノコだの、ドングリだのがとれないことだってある。ほんとうだったら、そういうときは狩りをやる男たちが小物でもいいから、かんたんにとれそうな獲物を狩ってきてくれればいいのだが、残念ながらそうはいかない。男たちは、そういうやばいときほど、子どもみたいに冒険心をむきだしにして、大物を狙いにいってしまうのだ。結果、なにもとれずに、ゴメンとかいって帰ってきたりして、女子たちにコテンパンにされる。でも、たまに大物がとれたりすると、もうおおはしゃぎだ。すげえよ、オレたちは英雄だ、オレたちはすごいんだと。自分の弓の腕前を、シカになったその力をほこらしくおもい、よろこびはしゃぐのだ。それで宴会をやって、また大物狙い。生存の危機にさらされるほど、狩りを遊びにしてしまうのだ。

さて、いまいったことをふまえて、どうだろうか。現在のわたしたちの生活は、クロマニョン人よりもはるかにまずしいといってもいいんじゃないだろうか。毎日八時間以上はたらかされて、宴会をひらきまくっているわけでもないのに、税金だの家賃だのをとられて、あまりたくわえはない。しかも家でもたててしまったら、借金漬けで身動きもとれやしない。クビになったら路頭にまようよ、死ぬんだよといわれたら、どんなに体がきつくても会社の命令をきかなきゃとおもってしまう。そこに狩りのような自尊心もありゃしない。人間は人間にこびへつらうのだ。ヒマなし、カネなし、尊厳なし。ご破算だ。でも、そんなときはちょっとでもいい、ほんのチョビッとでもいいから、人類史の九九％の部分をおもいだせばいいんだとおもう。クロマニョン人は、だれにもこびない。心のなかのシカたちがさけぶよ。フオオオ、フオオオオオオ!!! ただ食いたいんじゃない、どんちゃん騒ぎがしたいんだ。危機のときほど、遊んでしまえ。それがシカ人間の精神だ。

魂をたがやすな
——超絶！　悶絶！　沖縄旅行

いくぜ沖縄、オリオンビール

　この三月にはいって、ひさびさに風邪をひいた。けっこうおもくて、一週間ほどねこんでしまった。でも毎年、この時期になると、わたしは友だちと沖縄旅行にいくので、どうしてもなおしたかった。とにかく風邪薬をしこたまのんで、必死になおす。旅行一日まえになって、ようやく熱がさがった。しかし人間というのはこういうとき欲をかいてしまうもので、締め切りすぎの原稿をひとつおわらせてからいこうとおもってしまった。午前四時、ようやく完成だ。シャーッ!!　これでもう、なんの気がねもなく遊んでこられる。ちょっとねよう。ネットで路線検索をしたら、一二時くらいの電車でまにあうとのことなので、いがいと睡眠をとることができた。よし、すべて順調、ウキウキだ。

それで朝ちゃんとおきて、したくをして、さあ一一時半。ちょっとはやいけど、もう家をでようかとおもったのだが、経路が気になったのでパソコンをひらき、いちおう路線検索をかけてみた。すると、どうしたことか。いくらしらべてもまにあわないのだ。どんなにおそくても、一一時半の電車にのってなきゃダメである。あれっ、あれっ、あ?! ふと、自分がやらかしたことに気づいてしまった。よっぽどボーッとしていたのだろう、ねるまえに検索したとき、一四時の飛行機なのに、成田空港駅に一四時着で検索していたのだ。そりゃ、まにあわない。ああっ、マジかよ、マジかよ。ガックリしながら、いっしょにいく予定だった友だちに電話をかけた。さすがになぐさめてくれた。「栗原さん、風邪だったわけだし、体がそうしろといってるんじゃないですかね。ゆっくりやすんでください」。ありがとう、わたしもそうおもうことにした。

でも、ここから奇跡がおこる。夜になって、またべつの友だちから電話がかかってきた。わたしにとっては友だちでもあるし、本（『死してなお踊れ——一遍上人伝』）の担当編集者でもある。かれも沖縄で合流することになっていた。電話にでると、かれはこういった。「アハハッ、栗原くんやっちまいましたね。よかったら、ぼくがチケットをカンパしましょうか」。ほ、ほ、ほとけさま。もちろん、即答でハイだ。この日が木曜。ちょうど連休にはいるまえだったので、翌日、金曜の便はとれなかったが、土曜夕方の便をとってもらえることになった。わたしは帰りのチケットをもっていて、それが日曜早朝の便だったのだが、それでもいかないよりは、ぜんぜんましだ。ここまできたらなにがなんでも、沖縄の海をながめてやる。いくぜ沖縄、オリオンビール。シャー!!

そして土曜日。万全の準備をしてでかけることにした。前日から、なんども路線検索をして、いっしょにすんでいるかの女のチホさんにも相談して、余裕をもって成田にむかうことにした。負ける気がしねえ。さあ当日、スムーズに日暮里駅に到着した。そこから京成スカイライナーにのろうとする。と、そのときのことだ。なんか駅員がへんなことをいっている。「もうチケットはありません、のれませんよ」。ええっ。なんとかならないか。かけあってみたが、ダメ、ダメ、ダメの一点張りだ。クソったれ。

つぎのスカイライナーならあるというのだが、なんと四〇分後だ。それだと出発二八分まえに空港につくことになる。これ微妙で、発券時間というのが二五分まえまでなのだ。でもいくしかない。

空港についてからは、猛ダッシュだ。自動発券機までかけていってピコピコやった。しかしいかんせん、二分くらいすぎている。なんどやっても、ビーッといって「予約ははいっておりません」との紙がでてきてしまう。係りのお兄さんにもかけあってみたが、「はいはい、そうですか。うちは一分でもおくれたらダメなんです。きまりですからね」といっておいかえされた。クソッたれだ。ああ、あああっ。あたまがクラクラする。ダメだ、もうなにも考えられない。タバコを一本ふかし、沖縄にいる友だちに電話をかけた。こんどはだれもなぐさめてくれない。「やっちゃんとはもう一生会えない気がするよ」、「おう、どうしたんだ、ヤスシ!」。オレもどうしたんだとおもう。こんな日は、はやく帰ってクソしてねよう。家にいるチホさんに電話すると、さすがに気をつかってくれて、外で食事をしましょうといってくれた。大宮ナンバーワンの沖縄料理を食べにゆく。こりゃうめえ。こうして、わたしの沖縄旅行はおわりをむかえた。

パソコンはとじろ、スマホはなげろ
自分のなかにある野蛮をとりもどせ

ところで、この旅行のとき、わたしはヘンリー・ソロー『市民の反抗――他五篇』(岩波文庫)をよんでいた。たまたま、対談するかもしれない相手が好きだというのでよんでいたのだが、なんか旅行のはなしとかさなってハマってしまった。ソローは、アメリカの思想家で、南北戦争のちょっとまえの一九世紀半ばに、奴隷制に反対していて、政府がそれをかんぜんにやめさせないかぎり、税金なんてビタ一文はらわねえぞ、といっていたひとだ。税金はらうな、税金はらうな、税金はらうなと、ひたすらいいつづけて、さいごは警察にとっつかまっている。いいひとだ。

でも、それだけじゃなくて、おもしろいのは、なんか毎日、四時間くらいは森をふらつかないとおちつかないというひとだったということだ。日中、フラフラとでかけていって、夕方になったらもどってくる。どうも沼地とかが好きで、いいのをみつけては、うひゃあ、こりゃたまらんとかいって帰ってきたらしい。変人である。しかも、ちょっとめんどうくさいのは、そういう生活にへんなこだわりをもっていたことだ。ある日、森からの帰り道、街までもどってきたら、みしらぬひととでくわしたらしい。で、そのひとからこうはなしかけられた。「道にまよってしまって、こまっているんです」と。もちろん、その場ではちゃんと方角をおしえてあげたのだが、わかれたあと、ソローはひとりケラケラとわらってしまったんだそうだ。おまえがいっているのは、道じゃねえよ、道路だよと。

道っていうのは、森のように、はじめからどうすすむべきかきまっていないもんだ。すすんだ方向が進路になっていく。だれにもなんにもきめられない。遊びだ、自由だ、きもちいい。そうじゃなくて、道路っていうのは、はじめから進路がきめられているものだ。どこにいくのか、なにをするのか、その目的がきまっている。仕事だ、まじめだ、きもちわるい。そんなもんにたよって、しかも迷うだなんて、おまえバカなんじゃないのかと、そういっているのだ。そんなことをいわれたら、わたしも方向音痴なのでちょっとムカつくのだが、いっていることはよくわかる。道がしりたきゃ、森で遊べ。

もうちょっと補足していっておくと、ソローがいっているのは、人間はなんでもかんでもたがやさなくちゃいけないとおもいすぎだということだ。英語でいうと、cultivate。土地をたがやして、定期的に食料をゲットできるようにする。この季節にこれだけのことをすれば、これだけのものが手にはいる。ひとの生活が予測可能なものになる。道路だっておなじことだ。商いとりひきのために、輸送網をととのえる。この道路をこうやっていけば、これだけの時間でたどりつくことができる。空間が均一化されるのだ。こういうと、むずかしくきこえるかもしれないが、空間を時間ではかることができるようになったということだ。で、そのなかでうまくやっていきましょう、そのための知恵を身につけましょうというのが、文化（culture）である。

しかしおっかないのは、それがあたりまえになってしまうと、田畑がないと生きていけない、道路がないと生きていけない、そのために公共事業をやってくれる政府がないと生きていけないとおもわされてしまうことだ。だったらしかたないねとかいって、気づけば税金をはらうのもあたりまえになってしまう。かせげ、はらえ、耕せ、文化。できなきゃ、そいつは非文化的。バカだ、野蛮だ、クソだ、死ね。ほんとうは、そのへんに生えているものを食ったっていいんだし、獣を狩ったっていい、道だってどこをどうすすんだっていいんだし、他人からみたらどうだっていい場所にどれだけいたっていいのである。でもいま、その感覚がかんぜんにうばいとられてしまっている。どうしたらいいか。ソローは、こういっている。とりあえず、あるけ。なにも考えなくていい。もっとバカになれ、もっと野蛮になれ。泥にまみれ、ゼニをうらやめ。おまえがゆけ、おまえがゆけ、おまえがゆけ。おまえがゆくから道になると。

さてはなしをもどすと、わたしの身におきたのも、ソローがいっていたのとおなじことだ。いまじゃ道路をとおりこして、脳内道路みたいのができあがってしまっている。ネットで路線検索をして、ここまで何分、何分と、でてきたデータを道だとおもいこんでしまうのだ。ちょっと考えてみれば、駅で予想外のことがおこるかもしれないなんてあたりまえのことだったのに、マジでわからなくなっている。どうやら、このわたしも賢くなりすぎてしまったようだ。沖縄旅行の教訓である。空間を時間ではかるのはもうやめよう。税金なんて、ビタ一文はらわねえぞ。文化はいらない。魂をたがやすな。

そんなことを考えていたら、いまちょうど、沖縄にいっていた友だちから、家におみやげがおくられてきた。いじわるな小説家のY子さんだ。わーいとおもってあけてみると、なんと肉片だ、肉片の携帯ストラップである。あれ？　なんか去年、誕生日にもおなじのをもらったような気がする。もしかしたら、Y子さんはわたしにこんなことをつたえたかったのかもしれない。バカはおなじことをくりかえす。なんど森にいっても、なんど泥沼をみても、はじめてみたかのように目をかがやかせてしまうのだ。まるで、セックスでもしているかのように。死力をつくして遊んでしまえ。昇天、昇天、昇天だ、そしてさらなる昇天だ、さあもういちど。超絶！　悶絶！　沖縄旅行。いま、いま、いま。未来はいらない。時間をとめろ。TIME　GOES　AROUND。愛をにぎりしめ。TIME　GOES　AROUND。おまえをはなさない。パソコンはとじろ、スマホはなげろ。自分のなかにある野蛮をとりもどせ。シャー!!　沖縄にいきたい。

はたらく女性は、方向音痴

——地図はなくても歩いてゆける

パソコンがほしい！

一昨日、パソコンがぶっ壊れた。じつはこのとき、とても重要なメールをうっている最中であった。ある女性がわたしの本を読んでくれて、とても素敵な感想メールをくれたので、これはきちんと返信しなければ、そしてデートに誘わなければとおもっていたまさにそのときだったのである。とつぜん、バシューと音をたてて画面がくずれおち、それから二度と電源がはいることはなかった。まあ、八年もつかったので寿命だろう。なむあみだぶつ。しかし、せっかくデートのお誘いをしようとおもっていたのに、ちくしょう、縁起がわるい。うーん、どうしてもパソコンがほしい、パソコンがほしい。背に腹はかえられない。速攻でヤマダ電機に買いにはしる。ちょうどタイミングのいいことに、本の印税がはいった。マジで買えるのだ。何年ぶりの買い物だろう。これみよがしにバカ高いパソコンを買った。ほんとうはふだん、Ｗｏｒｄとメール、それにかんたんなネット検索くらいしかつかわないのでいらないのだが、むやみやたらと高性能のやつを買ってしまった。

しかし、つかってみてびっくりしたのは、あたらしいパソコンのうごきのはやいこと、はやいこと。これまで、電源をいれてから起動に三〇分くらいかかっていたのに、ボタンひとつですぐにつかえる。インターネットもすごい。これまで、一、二回、ネット検索をしたら、だいたい画面が凍りついてうごかなくなっていたのに、なんど検索をしてもシャッシャッシャッとすさまじいスピードで結果がでてくる。なんだ、これは。信じられない。まるで別人のように、自分の思考がかるくなったというか、とつぜん頭がよくなったような気分だ。あれもできる、これもできる、なんでもできる、オレすごい。半日くらい夢中になってパソコンをいじっていて、深夜、ハッとわれに返る。あれ、そういえば、わたしはなにをしようとしていたんだっけ。どこかで道にでも迷ったか、方向音痴……。ああっ、そうだメール、メールをうたなければ。おもいだして、ひたすらメールをうった。力がみなぎりすぎて、めずらしく長文になってしまった。饒舌である。死力を尽くして、女性をお酒に誘ってみた。返事はまだない。成功しても、失敗しても、パソコンのおかげだ。いくぜ、相棒。マジでたのんだ。

わたしは方向音痴である

さて、そんなことをしながら、ひさしぶりにおもいだした言葉がある。「地図がなくても歩いていける」。これは、わたしのアナキズムの師匠、矢部史郎さんの言葉だ。生来の方向音痴であるわたしは、なにか自分を肯定してくれているような気がして、うれしくて、それこそ文脈はわすれてしまったが、その言葉だけはおぼえていた。もちろん、文字どおりの意味ではない。あれはたしか四年前のことだったろうか、いちど矢部さんと放射能を計測しようとガイガーカウンターをもち、埼玉県の公園を一〇〇カ所くらいまわったことがある。車にのって、わたしが助手席にすわると、矢部さんがわたしに地図をわたしてくる。うん？　わたしがキョトンとしていると、矢部さんが「僕が運転するので、君はナビをしてください」という。むろん、わたしは地図がよめない。正直に「できません」というと、「じゃあ、運転をたのみます」という。わたしはいまでこそ、練習をして、車をまえに転がすことはできるようになったのだが、当時はペーパードライバーだったので、「それもできません」と返答した。すると、おどろいた矢部さんが「きみはなにをしにきたんですか」という。わたしもどうしたらいいのかわからなかったので、とりあえず「計測です」と答えてみた。まちがってはいない。

けっきょく、わたしがナビをすることになったのだが、とうぜんあてずっぽうで右とか、左とかいうので、五回に一回くらいしかあたらない。途中、つかれてきた矢部さんがプリプリしてきたのがわかった。これはなにか元気のでる言葉をいわなくてはいけないとおもい、ボソッと「地図がなくても歩いていける」といってみた。すると、「ちがう、ちがう、そういう意味じゃない！」と、ちょっと声をあらげて怒ってしまった。しまった、逆効果だった。ざんねん。ともあれ、ぶじに計測活動はおわったのだが、わたしは帰宅してから、うーん、そうかとおもい、あらためて矢部さんの文章をいくつかよみかえしてみた。むちゃくちゃいいことが書いてある。

ざっくりまとめてみると、地図とは、ひとを物差しではかれるようにするということだ。なかでも、もっとも身近なのが「家」である。家は、ひとが愛情をはぐくんだり、生活をしたりすることを男女のカップルとか、夫とか妻とかの役割に還元し、それをこなすことがあたかも自然で、いいことであるかのようにみせかける。女だから無償で男をささえろ、女だから子供をうめとか。それ以外のことはやっちゃいけない。あれもダメ、これもダメ、ぜんぶダメ。あれもできない、これもできない、これしかできない。ひとがどうやってうごくべきかということがきまっていて、そのとおりにうごかざるをえなくなる。地図だ、地図である。ちゃんとうごけない人間は、方向音痴。ちょっといたい人間だとおもわれて、腫物あつかいされたり、コケにされたりしたあげく、ムリやり家につれもどされたりする。苦しい、悲しい、気持ちわるい。

だからということで、矢部さんは、だいじなのはフェミニズムだという。たとえば、家をとびだしてはたらいている女性は、それだけで尊敬にあたいする。いちど「家」という地図をやぶり捨てて、それなしでも歩いてみせたのだから。もちろん、はたらくこと自体がすごいんじゃない。それじゃあ、会社という地図に囲いこまれるだけのことだ。おまえは「家」を捨てたのだから、もうここでしかやっていけないよと脅しをかけられて、骨の髄までしゃぶりつくされる。でもだからこそ、いちど「家」をふり捨てて、地図なしで歩いた感覚がだいじなのである。なにもない、まっさらな大地を自分の足で歩いてみせたのだから。そうしてみせた、それができたということに誇りをもてるかどうか、そのよろこびをかみしめることができるかどうか。自己の偉大さをつかみとる。あれもできる、これもできる、なんでもできる、わたしはすごい。この感覚さえわすれなければ、別の地図に囲いこまれても、いつだってそこから逃げだしていける。矢部さんは、そんなふうにいっているのである。

女性がはたらくということは、はたらかないということとおなじことだ

ちょっと師匠の言葉を借りて、いいことをいってしまったが、もうすこし「家」を捨てるということについて補足しておきたいとおもう。よくいわれるように、いまの賃金労働の起源は奴隷制である。カネをかせぐということは、自分の行為を労働力商品として提供するということであり、その見返りをもらうということだ。でも、ほん

とうはこれはありえない発想で、一人ひとりかけがえのない存在であるはずの人間が、交換可能なモノとしてあつかわれている。じゃあ、なんでそんなことが可能になったのかというと、根っこに奴隷制があるからだ。ひとを奴隷として、財産として、家畜として、モノとしてあつかう。それがやられてきたからこそ、労働力商品という発想がありえたのである。で、なのだが、そのベースになっているのが、じつは「家」だということだ。男が女をつかまえてきて、自分の財産として、家畜として、囲いこんでしまう。それが奴隷制のモデルになったのである。

なにがいいたかったのかというと、いまわたしたちはむやみやたらと、はたらけというプレッシャーにさらされている。カネをかせげないとクズだといわれ、しかもそういわれつづけているとほんとうにそうだとおもえてきてしまう。仕事がみつからなくて、カネがなくなればなおさらだ。せっぱつまればつまるほど、ブラック企業でも、ブラックバイトでも、体を壊してでもやらなければとおもわされてしまう。地図の求心力。これは解除しなければいけない。はたらかないこと。みずからの奴隷性をかなぐり捨てること。けっしてむずかしいことではない。すでに先鞭はつけられている。「家」を捨てた女性たち。女性がはたらくということは、はたらかないということとおなじことだ。労働の拒否。地図はなくても歩いてゆける。あとは、その感覚をおもいだせばいいだけだ。はたらかない。

いやいや、そんな経験はしたことないですよというひともいるかもしれない。でも、はっきりいって、そんなひとはいやしない。怒られるのを覚悟でいっておくと、はたらく女性が地図なしで歩きはじめたというその感覚は、最初にふれた、わたしがパソコンに夢中になっていたときの感覚とおなじことだ。あれもできる、これもできる、なんでもできる、オレすごい。まわりのことなんて関係なく、ただ自分はこんなこともできたのかということによろこびをおぼえ、その力に酔いしれる。たぶん、みんなそういう経験をちょくちょくしているはずなのに、社会には地図が、物差しがあるのがあたりまえだとおもいこんでいるから、大切だとはおもわずにそのままわすれてしまっているだけのことだ。ほんのちょびっとでもいい。おもいだしてみよう。泣いて笑ってケンカして。どっこい生きてる地図のなか。逃げて歩いて鼻歌うたう。あらゆる地図をやぶって捨てろ。死力を尽くして肯定しよう。はたらく女性は、方向音痴。腐った仕事はいつでもやめろ。

＊

蛇足になるが、この文章を書きはじめてから半日ほど、まだメールチェックをしていない。返事はきただろうか。緊張して、手のふるえがとまらない。いくぜ、相棒。撃沈上等。はたらく女性に敬意をはらう。

ほどこしをしたら、こん棒でうて
——プレゼントの思想

ぼくの友だちは、ハクジョウ者とハクジョウ者です

さいきん、ちょっとはたらきすぎた。これはいけないとおもい、いくつかの仕事をほったらかして、かの女と海外旅行にいってきた。三月二四日から、二泊三日で台湾だ。じつは、わたしは二五日が誕生日ということもあって、かの女にプレゼントとしてつれていってもらったのだ。やったぜ。さて、メインは二日目、誕生日当日だ。この日は、わたしが好きなものを食べにいくんでいいということで、前日の夜から必死になってガイドブックをよみまくった。『地球の歩き方』だ。

しかし、いまのガイドブックというのは、ほんとうによくできていて、さいしょはメシのことだけしらべようとおもっていたのだが、コラムに一九三〇年代、台湾原住民が武装蜂起して、当時、植民地支配をしていた日本人をぶち殺しまくったはなしとか、そのあとの日本の弾圧がさらに残酷だったはなしとか、そういうのがむちゃくちゃわかりやすくかかれてあって、しばらく夢中になってよみこんでしまった。とはいえ夜中になって、ダメだ、メシ、メシとおもいかえしてちゃんとしらべる。

なににしようか。わたしは大の肉好き、そして麵好きである。いいのはないかとおもって、ガイドブックをペラペラとめくっていたら、すごいのがあった。牛肉麵。おお、バッチシじゃないか。まよわずこれにきめた。中山というところにある「史記正宗牛肉麵」という店が有名らしい。よし、ここだ。翌日、お昼を食べにいった。地元の客でにぎわっている。いいんじゃないのか。看板メニューは、ふたつ。紅焼牛肉麵と清燉牛肉麵だ。赤みのかかったピリ辛スープにするか、白っぽいあっさりスープにするか。わたしは前者にして、かの女は後者を注文した。ちなみに、わたしのほうは辛さをえらべて、「微辣、小辣、中辣、大辣」とあったので、まんなかの「中」にすることにした。

うれしい、たのしい、まちどおしい。注文をおえると、なんだか急にそわそわしてきた。ふだん無口なのに、とつぜん饒舌になってしまった。わたしはかの女にむかって、こうしゃべりはじめた。「いやあ、マジで感動しています。まえにもいったかもしれないですけど、ぼくには仲のいい友人がふたりいまして。ちょっといじわるな小説家のY子さんと、目黒の光源氏ことGくん。ぼくは毎年、ふたりの誕生日に、ちゃんとプレゼントをするんです。それこそ、お誕生日会もやったり。でも、ふたりは、ぼくにはなにもしてくれないんですよ。ハクジョウ者とハクジョウ者です。それにくらべて、チホさんはなんてやさしいんでしょう」。チホさんというのは、かの女の名前だ。まあまあ、といわれていなされているうちに、注文していた牛肉麵がとどいた。きたぁ！

激闘、牛肉麵——自分を殺せ、日々死力

真っ赤なスープのなかには、やわらかそうな牛肉がゴロッゴロしている。肉、肉、肉、肉!!! うまそうだ。いくぜ、わたしは全力で麵をすすった。しかし、すすったその瞬間のことだ。ケッ、ケケッ。あまりの辛さにムセかえり、マンガみたいに麵をふきだしてしまった。なんだこれ、ピリ辛とか、中辛のレベルじゃない。口のなかがいたすぎる。しかもトウガラシの辛さだから、なんか変にムセてしまうのだ。かの女に味の感想をきかれたが、こたえられない。わからないのだ、辛すぎて。こちらのはどうといわれて、かの女のを一口もらったら、超うまい。繊細だ。わたしは、もういちど自分のをためしてみたが、やっぱりムセる。ケッ、ケケッ。いたい、ちくしょう、なんでだよ。

あまりのいたさに水がほしくなった。でも、中国語がわからない。お店のひとに「みず〜、みず〜」と日本語でさけぶと、なぜか小皿をわたされた。ちげえよ。身ぶり手ぶりで、必死に水を飲むかっこうをしてみた。わかってくれた。どうもセルフサービスらしく、自分でいれてこいという。みると、店のはしっこに、紙コップとポットがおいてあった。いそいでそこにいき、そそいでみるとでてきたのは熱々のウーロン茶。マジかよ。口にいれてみると、さらにいたみが増してきた。もうダメだ。オレはなにをやっているんだろう。席にもどってうなだれる。

しばらくしたら、なんだかどうでもよくなってきて、ヒッヒッヒッと笑いがとまらなくなってしまった。もう味なんてわからない。いたみをとおりこして、いいかげん口のなかもマヒしてきた。メチャクチャだ。こうなったら、せっかくの旅行だから、せっかくの誕生日だからうまいものを食いたいとか、食わなくちゃいけないとか、そんなおもいは、どこかに捨ててしまおう。食っちゃえ。なんでもいいから食ってしまえ。これはオレと牛肉麵とのたたかいなんだ。そうおもったら、とつぜん異様な力がわきあがってきた。うおお!!!　そこからはもう激闘だ。ケッ、ケケッ。いま死ぬぞ、いま死ぬぞ。すすってはムセ、すすってはムセ。汗だくになりながら、麵に食らいついた。辛さにうちかて、自分をこえろ。完食だ。いま死んだ。

オレ、すごい。オレはオレをのりこえたんだ。さっきまでのふぬけた自分はもういない、ぶっ殺してやったぜ。圧倒的な解放感につつまれる。快感だ。体がかるい。なんだか、自分をしばりつけていた鎖みたいなものが、ほどけていくような感じだ。よく考えてみたら、誕生日だからああしてほしい、こうしてほしいとか、そんなのどうでもいいことじゃないか。自分があれだけのことをしたから、他人にこうしてもらいたい。他人にあれだけのことをしてもらったから、こうしなくちゃいけない。ああ、めんどうくさい。見返りなんてクソくらえ。そんなものにしばられていたら、なんにもできなくなってしまう。

だいじなのは、オレ、オレ、オレ。いまよりすごいオレだ。ただ自分がやりたいこと、ひとにやってあげたいとおもったことを、がんがんやる。それで、いまの自分をぶち殺すことになったとしても、他人にめいわくをかけていやがられたとしても関係はない。なんの意味もなくたっていい。心臓をささげろ。自分を殺せ、日々死力。それをやる、やれる、やっていいんだということを感じとる。自分だけじゃない、その力にふれたまわりのひとだって、きっとおなじことを感じるはずだ。そして、そういうのがほんとうの意味で、ひとにプレゼントをするということなんだとおもう。自分にたいしても、他人にたいしても。そんなことを考えていたら、さっき友人のことをハクジョウ者とかいっていたことが、恥ずかしくおもえてきた。うん、しかたがないね、好兄弟!

肉を切らせて、骨を断つ

しかし、わたしが感じたこの感覚は、いったいなんだったのだろうか。わたしはこの間、ずっと中国ドラマの『岳飛伝』というのをみているのだが、そこにおなじようなはなしがあったので、ちょっと紹介してみよう。岳飛というのは、一二世紀、南宋の時代に活躍した武将で、武芸と兵法をきわめ、そのつよさは中国史上最強であったともいわれている。あまりにつよかったので、なんかその師匠は『水滸伝』にでてくる林冲の師匠とおなじだったんじゃないかとか、そんな逸話もあったりするくらいだ。じゃあ、どれだけつよかったのかというと、こんなエピソードがある。まだ北宋末期、岳飛がわかかったころのことだ。宋は北方の金に攻められてボロボロになり、しかも国内では山賊の反乱があいついでいた。よし、岳飛は山賊討伐をかってでる。でも、そこは奸臣のはびこる宋である。兵をくれない。たった百人しかくれなかった。相手はなんと八万人。岳飛の弟分はみんなあわてるが、岳飛は余裕である。弟たちよ、空をみろ。大雨になりそうだ、このまま山にしのびこみ、こっそりと雨にまぎれて、山賊の頭領をとらえるのだと。うおお、みんなえらく感動して、山にはいって待機した。

しかし、天候というのはこわいもので、二週間たっても、三週間たっても雨はふらなかった。食料もつきた。もうダメだ、みんなグッタリ。でも、岳飛はめげない。とつぜん短刀をとりだすと、それでグサッ、グサッと土を掘りはじめた。あったぞ。土のなかから、ミミズをつかんでみせた。そして弟分が「やめろ、アニキ」ととめるのもきかず、それを口のなかにほうりこんだ。「ハオチー！　うまいぞ、兄弟」。弟たちは号泣だ。アニキがやるならということで、みんなでミミズを喰らって生きた。それからしばらくして、ゆだんしたのは山賊だ。さすがにもう餓死しただろうということで、警戒をといてしまう。それでとつぜんでてきたのが、岳飛軍である。頭領をとらえて、つれてかえった。すごい、すごい。肉を切らせて、骨を断つ。英雄だ。

そのあと、岳飛はどうなったのかというと、なかなか重用されない。その間にまずは国がほろぼされてしまった。宋は金に攻めこまれ、皇帝とその父親が捕虜としてつれていかれてしまう。北宋滅亡。南部に逃げた皇帝の弟が、あとをついで南宋をたちあげるも、金はやたらとつよくてメタメタにやられてしまう。船をだして、海上に逃げた。でも、そこで立ちあがったのが岳飛である。チリヂリになっていた兵をかきあつめ、単身で挙兵。そこからは百戦百勝だ。つよい、つよすぎる。そりゃそうだ、勝つためにはミミズだって喰らうのだから。武将としての恥も外聞もあるものか、そんな自分は殺してしまって、なんだってやってやる。そんな相手にだれも勝てっこない。

岳飛は、南宋の皇帝をむかいいれ、北伐をかってでる。金にとらえられた二帝を奪還するのだと。さいしょ皇帝は岳飛に感謝しているのだが、だんだんいやになってくる。考えてみると、二帝をつれもどしてしまったら、自分の立場がどうなるかわからないからだ。がんがん金に攻めこんでいく岳飛にたいして、皇帝がもうやめろと命令をくだす。おまえには感謝しているし、これだけの恩賞をあたえるからもういいだろうと。

でも、岳飛はきかない。すでに武将としての名誉、立身出世をもとめる自分などは、殺してしまっているのだから。皇帝がどうおもうかじゃない。北伐がしたい、それは民のためになるし、ひいては皇帝のためにもなる。そのためだったら、なんだってやる。心臓をささげろ。それが忠義だ、プレゼントだと。で、どうなったのかというと、さいごは兵糧をとめられ、撤兵をよぎなくされて、あげくのはてに軍権を剝奪されてなにもできなくなってしまった。そして、これが恩賞だといわんばかりに、弟分ともども謀反の罪をでっちあげられ、首を斬られて死んでしまった。無念だ。いっしょに死のうよ、好兄弟！

心臓をささげろ、いらないよ

そろそろ、まとめにはいろう。たしか、哲学者のニーチェがこんなことをいっていた。目のまえにこまっているひとがいたら、迷わずほどこしをしよう。そのかわり、それをみているやつらがいたら、記憶がなくなるまでこん棒でうてと。そして、そのあと自分のあたまも空っぽになるまでブッたたくのだといっていた。むかし、これでなにをいっているのか、さっぱりわからなかった。でも、いまはなんとなくわかる。ようするに、ほどこしを感謝という見返りに変えるなということだ。

人間というのはおそろしいもので、ひとにもとめられているものをあたえ、それに感謝されることになれてしまうと、いつのまにかすべての行為に見返りをもとめるようになってしまう。オレはこれだけのことをしたんだから、オマエもな、オマエもなと。これでがんじがらめになってしまったのが、いまの仕事の世界だ。自分の行為の見返りとして、カネをもらえることだけをやっていればいい、それしかやっちゃいけない。オマエの将来はカネをかせぐためにあると。

岳飛だったら、そんなことをいうやつがいたら、この奸臣めといって、すぐに首をはねていたことだろう。ちなみに、ニーチェがいっていたこともおなじだ。ほどこしを見返りに変えるな、ほどこしをしたその記憶を根っこから断ち切るのだと。肉を切らせて、骨を断つ。ほどこしをしたら、こん棒でうて。それは、いつでも自分がやりたいことをやり、他人にしてあげたいとおもったことをできるようにしておくということだ。カネがあったら、あったでいい。だけど、なければないでなんとかなる。プレゼントにつぐプレゼント。そしてさらなるプレゼントだ。

＊

さて、すでに字数は尽きているのだが、さいごにひとつだけ。台湾旅行からかえってくると、友人の小説家、Y子さんから誕生日プレゼントがとどいていた。カサコソとふくろからとりだすと、なんと肉。肉片のついた携帯ストラップだ。またかよ。なんの役にもたちはしない。捨ててこそ。でも、きっとY子さんはこれをわたしにもたせたいという、なにか熱いおもいをもって送ってくれたにちがいない。そう、これが真のプレゼントだ。ほどこしをしたら、こん棒でうて。心臓をささげろ、いらないよ。

単行本あとがき

ふだん、わたしはテレビをつけながら原稿をかいている。ちょうど、この「あとがき」をかこうとおもったとき、月9ドラマの「デート〜恋とはどんなものかしら〜」がはじまった。おもしろくて、一時間ほど筆をとめてしまった。みたのは、第二回目。主人公は、長谷川博己さんという俳優で、「鈴木先生」とかをやっていたひとだ。三五歳、ニート、実家暮らし。小説をよんだり、アニメをみたりするのが大好きで、それ以外のことはやりたくない。だから、ずっと部屋にひきこもって、母親に寄生して食べている。本人の意識では、こういう生きかたはふつうにあっていいものであり、明治時代から昭和初期にかけてのはたらかない文学青年がそうよばれていたように、高等遊民とよばれるべきである。だんじて、ニートなどとさげすまれるべきものではない。でも、そんな主人公が婚活をすることになる。母親のからだがよくないことに気づいたからだ。もっとわかいひとに寄生しなくてはいけない。

それで国家公務員の女性をデートにさそい、ひっしのおもいでプロポーズをする。母親にカネをねだり、一〇万円の指輪を買ったり、友人におしえてもらって、求婚のダンスを披露したりする。いうべきこともすべていった。わたしは高等遊民だ、はたらきたくない、やりたいことしかやりたくない、母親のかわりに寄生できる相手がほしいんだ、わたしは本代と月一回の床屋代しかカネがかからないので、そんなにご迷惑はおかけしません、いちおう家事はやりますと。結果は撃沈だ。なんでわたしがおまえみたいのをやしなわなくてはいけないんだとか、おまえは反社会的な人間だとか、ろくでなしだとか、ひとでなしだとか、あることないこと罵(ののし)られる。ちくしょう、長谷川さん……。わたしはそのシーンをみて、なんだかひとごとではなくて、テレビにむかってもうれつに拍手をおくりながら、涙をぼろぼろとながしてしまった。

ドラマのはなしはこのくらいにしておくが、たぶん、わたしが主人公に共感したのは、すごく境遇が似ているからだとおもう。本論のなかでも、ちょろちょろ自己紹介をしたが、わたしはいま三五歳。独身で実家暮らし、フリーターである。大学院を博士課程まででたものの、その後、定職につくこともなく、大学や塾で非常勤講師をしてきた。もちろん、これでは食っていくこともできず、というか年収が八〇万円ほどしかないので、両親の年金に寄生して生きている。しかも、これでもかなりよくなったほうで、ちょっとまえまではいくらさがしても非常勤の仕事さえみつからず、五年間くらいだったろうか、ほとんど毎日、朝から晩まで部屋にひきこもっていた時期もあった。つきあっていた女性と婚約をして、わたしは家事ができますとか、やすい本しか買わないのでカネはかからないとか、けっこうマジでかたったこともある。やっぱり結果は撃沈だ。この腐りきった資本主義社会では、高等遊民への道はかぎりなくきびしい。はたらかないで、たらふく食べたい。いまふとおもったのだが、ドラマの、しかも月9になっているくらいだから、じつはこの考え、世のなかの大半がそうおもっていることなのではないだろうか。

さて、わたしは大学でアナキズムを研究してきた。とくに、大杉栄という日本のアナキストを研究している。大杉がいっていることは、ひとことでいうと、やりたいことしかやりたくないということだ。文字どおりの意味である。そして、これをいまの資本主義社会にあてはめると、はたらかないで、たらふく食べたいということだ。ひとによって、やりたいことというのはまちまちだとおもうが、たとえば、わたしだったら、好きなときに好きな本がよみたいとか、だれの目も気にせずに、好きなことをかきたいとかそういうおもいがある。でも、資本主義社会だとこういわれる。やりたいことをやりたければ、まずはカネをかせげ。やりたいことでカネをかせぐか、それができなければ、ほかの仕事でカネをかせいでこい。そうじゃなければ、生きていけないぞと。でも、これをやりはじめると、すぐに初心をわすれてしまう。どんなに文筆が好きなひとでも、それを職業としてやるとなるとちょっとちがう。ほんとうは、文章をかいてみせあうにしても、こむずかしいことをいってみたり、わけのわからない表現をつかってみたり、仲間内でたのしんでいるくらいがいいのかもしれないが、それじゃ食っていけない。出版社からライターのバイトを請け負ったときとか、場合によっては文章をかくたのしさなんて、ぜんぶ捨てなきゃいけないときもあるだろう。ほかの仕事をしたっておなじことだ。だんだんと本をよむ時間なんてなくなって、もくもくと仕事をこなすだけになってしまう。かせぐためにはしかたがないと、自分にいいきかせて。でも、おそろしいのはここからで、こうおもうようになってしまうことだ。自分の生計は自分でたてられなければいけない。かせげないやつはダメなやつだ。かせげないことはやってはいけない。カネ、カネ、カネ。かせぐことはよいことだ。気づけば、それがやりたいことであるかのようにおもわされている。たぶん、これが労働倫理の内実だ。はたらかざるもの、食うべからず。かせげもしないのに、やりたいことしかやろうとしないのはひとでなしだ、ろくでなしだと、落伍者のレッテルをはられてしまう。わたしたちは、やりたいことをやるのに、はじめから負い目をせおって生きることを強いられている。生の負債化だ。

とはいえ、労働だけだったら負債はつよくはない。たとえ、仕事がうまくいかなくても逃げがきくからだ。これはあくまでカネのためにやっていることだ、自分の人格や個性とはかかわりがない、他の仕事だっていいんだ、いやになったらいつだってやめてやると。この発想にたてば、ちょっとバイトでもしながら、これまで趣味にしてきたことに没頭してみようかとか、そうなってもぜんぜんおかしくはない。でも、なかなかそうならないのは、もう一方で消費の美徳みたいなものがあるからだ。かせいだカネで家族をやしないましょう、よりよい家庭をきずきましょう、家をたてましょう、車をもちましょう、おしゃれな服をきて、ショッピングモールでもどこでもでかけましょうと。これがやばいのは、そうすることが自己実現というか、そのひとの人格や個性を発揮することであるかのようにいわれていることだ。まるで、カネをつかうことが自分のよろこびを表現しているかのようだ。ショッピングをたのしまざるもの、ひとにあらず。

この消費の美徳にあらがうのは容易ではない。ひととしておわっているとみなされた者たちにたいして、この社会はほんとうにきびしいのだから。これは本論のさいごでふれたホームレスの排除のはなしにもつながるのだとおもう。ああはなりたくない、やりたいことだけをやってはいけない、かせがなければいけない、買わなければいけない。ここまでくると、生の負債化はとてつもなく強大だ。ほんとうのところ、いままっとうな仕事なんてなくなっていて、みんなカネもなくなっているわけだから、高等遊民になるというか、はたらかないで、たらふく食べていくための方法をさぐったほうが現実的だとおもうし、そうおもっているひとが増えているからこそ、いまの月9みたいのがやっているとおもうのだが、でもやっぱり逆の圧力がめちゃくちゃつよい。みんなこれだけ仕事がなくなっているからこそ、よりよい仕事をさがすためにやっきになって、結婚をしたり、家を買おうとしているんだ、それなのにそういう生きかたをのぞまないというのはどういうことだ。ひととしておわっている。死ねばいいのにと。

たぶん、本書の特徴は男が女をかたっているというか、フェミニズムをつかおうとしていることにあるとおもうのだが、じつはいまいったこととつながっている。伊藤野枝のくだりでいったかもしれないが、むかしの女性は結婚をして、よりよい家庭をきずくことが個性だとか、そのひとの人間らしさをあらわすことであるといわれていた。大正時代になると、恋愛をして好きな相手を、好きな家庭をえらべるようになったといわれているが、結婚したあとはおなじことだ。むしろもっとひどくなったといってもいい。姑や夫にどんなにいやな目にあわされても、じっとたえなくてはいけない。それは自分でえらんだことなのだから、自分の個性や人間性が賭けられているのだから。きっと性別や人数なんて関係なく、ひとは好きになった相手と好きにつきあったほうがしあわせなはずなのに、そういうことをすると不倫だのなんだのといわれて、ひとでなし、ろくでなしのレッテルをはられてしまう。これ、男性が仕事をやめるとか、そんなレベルのはなしではない。生の負債化がハンパないのだ。

でも、大正時代の女性たちは、ほんとうにすごい。豚を囲うとかいて家とよむのだ、それが人間らしさだというのであれば、人間じゃなくて豚のままでいい、火を放ってでもなにをしてでも逃げだすのだ、なんじ真っ黒な大地の豚であれと、直球でいいはなつ。まわりの迷惑かえりみず、ほんきで生の負債をふりはらう。それこそ身も心もボロボロになったとしてもである。女性たちは、そうやってすこしずつ自由な生をかちとってきた。ぜんぶマネしようとか、そんなだいそれたことはいえないが、ほんのわずかでもいいからあやかりたい。笑え、踊れ、遊べ。はたらかないで、たらふく食べたい。きっと、大正時代の女性たちがやっていたことにくらべれば、ずっときらくでかんたんなことであるはずだ。ひとを好きになるんだっていい、好きな本をよむんだっていい、好きな音楽を聴くんだっていい。よく考えてみると、わたしたちのなかに、これがおもしろいとおもってわれをわすれ、なにかに夢中になってのめりこんだ経験のないひとなんているのだろうか。あとは、それがやましいことだとおもわなければいいだけのことだ。高等遊民、あたりまえ。そろそろ、消費の美徳とむすびついた労働倫理に終止符をうつときだ。

さて最後になるが、この本をかくことができたのは、フリーの編集者の丹野未雪さんが、タバブックスの宮川真紀さんを紹介してくれたからだ。たまたま、「豚小屋に火を放て」をよんでくれて、それを中心にした評論集でもどうですかとすすめてくれた。そのあとは、宮川さんからお題をいただきながら文章をかいてきた。おかげで、ふだん自分では考えようとはしないようなことも、いろいろと思考をめぐらすことができてすごくたのしかった。おふたりには、ほんとうに感謝だ。ありがとうございます。また、本書を最後までよんでくれた読者のみなさまにも、ありがとう。本書が、ほんのわずかでもみなさまの生の負債をとっぱらう一助になれば、そして、この腐りきった資本主義社会を根っこからひきぬく一助になればと、心からそう願っている。またおあいしましょう。さようなら。

二〇一五年一月　埼玉の実家にて

豚はわたしだ！

文庫版あとがき　アリがおどれば、世界はとまる

焼きイモが食べたい

コ、コ、コロナの大爆走。みなさん、元気ですか？　わたしはかわりありません。なにせ週にいちどの大学非常勤講師の仕事もいまやオンライン。週に七日、部屋にひきこもってムダに中国ドラマや韓国ドラマをみまくっている。今年、何百話みたことだろう。あとはたまに近所をプラついてノラネコにエサをやって寝るだけだ。年収は二〇〇万。この本をかきはじめたころとくらべれば、およそ二〇倍だ。やったね。ということで、元気ハツラツ。好きなはなしをさせていただこう。

まずはきのうのはなし。じつはきのうがゲラのしめきりで、本文の原稿をなおして筑摩書房に送らなければいけなかった。だけどおもわぬことでハラハラドキドキさせ

られた。はやくなおして送ればいいものを、いつもながらなぜかギリギリになってしまう。たのみはクロネコさん。いつも午前中に配達員に渡すことができれば、当日か遅くても翌朝にはとどけてくれる。神業だ。ありがたい。でもきのうは様子がちがっていた。いつものお兄ちゃんがきてくれて、お願いしますといってゲラを渡そうとすると、お兄ちゃんがもうしわけなさそうにこういったのだ。「すみません。はやくても三日、遅ければ四日はかかるとおもいます」。えーっ。

理由をたずねると、お兄ちゃんはこういった。「いまアマゾンと楽天がセールをやっていて、それだけで手いっぱいなんです。ほかはちょっと……」。なんて正直なひとなのだろう。ウソでもコロナで物流が大混乱でとかいっておけばいいのに、大マジメにこたえてくれた。いいひとだ。いまの物流はアマゾンと楽天、ようするに大資本がにぎっている。クロネコとしても、それでもうけられるだけもうけなくてはいけない。有益なお客様をだいじにしましょう。利益にならない一般郵便なんてムダにすぎない。切りすてるにかぎるのだ。ちくしょう、カネもちどもがやりたい放題だ。

やばい。さすがに四日遅れは怒られる。たぶん、どこの物流もおなじような状況だろう。どうしたらいいか。とりあえず編集者の井口さんに電話をかける。怒られたくない一心で、こういった。「アマゾンと楽天のせいでゲラがまにあいません。直接おもちします」。すると井口さん。こういってくれた。「でも埼玉からだとたいへんでしょう」。やさしい。いや、わかっているのだ。形式的にそういってくれているだけで、ほんとうはもってきてほしいことを。おもちしなければ。心でそうおもいながらも、わたしの口がいうことをきかない。「はい！」。その後、井口さんの声のトーンがとつぜん低くなる。まずいぞ。ひとまず郵便局から速達で送るといって電話をきった。

その後、藁にもすがるおもいで郵便局にはしった。窓口にいって「一日でもはやくとどけたいのですが」というと、郵便局員がなにをいっているんですかといわんばかりにこういった。「明日の朝にはとどきますよ」。あれ？　さすが郵便局。まだアマゾンと楽天には征服されていなかったのだ。たすかった。おかげでぶじにゲラを郵送することができた。しかしあらためて実感させられたのは、二〇〇〇年代初頭からガンガンすすめられてきた新自由主義のコワさだ。当時、郵便でも教育でも医療でも、それがどうみても民間企業とはちがうでしょうというところに市場原理をもちこんで、だ採算と効率をあげていきましょうといっていた。そうすれば、どんなサービスも向上しますよと。

だが二〇年後のいま、ぼくらが目にしているのはマジの地獄。採算がとれないからといって医療現場の人員をガンガン削減していたら、コロナがおこってパンデミック。一瞬で医療破綻だ。大学だっておなじこと。奨学金事業などもうかるはずないのに、闇金よろしく利子付きでとりたてて、もうけをあげろといってみんな借金地獄。ご破算だ。郵政民営化も右におなじ。当時、首相だった小泉純一郎が郵便局もクロネコさんのようになればサービスがよくなりますよといっていたが、ウソッパチだ。ほんとうにそうなっていたら採算、採算で歯止めがきかなくなって、わたしのゲラがまにあわなかったどころか、もうけのすくない普通郵便など廃止されていたかもしれない。おっかない。

なんでもかんでもカネ、カネ、カネ。ムダをはぶいてカネもうけ。この世界が有用なものだけになっていく。ムダがなくなっていく。そのスピードがどんどんあがっていく。いまコロナでいろいろとまっているかのようにみえるけれども、じっさいには逆である。仕事もオンラインになってムダがはぶかれ、スピードアップ。会社にいく時間すらはぶかれる。もっとはやく、もっとはやく。地獄にむかって加速せよ。世界の果てまで、ヒャッハー。かんべんしてほしい。本書で問いかけたかったのは、そんな世界にちょっとブレーキをかけませんかということだ。とまらないのなら火をつけてでもとめるしかない。大資本でたき火せよ。ストップ、世界。焼きイモが食べたい。

セミとアリのうた

よし、はなしをかえよう。本書の冒頭で、「キリギリスとアリ」という寓話を紹介した。一般的には「はたらかざるもの食うべからず」の教訓話としてしられる「アリとキリギリス」をひっくりかえしたものだ。大学時代、よくゼミのあとに高田馬場の「わっしょい」という居酒屋で朝まで飲んでいたのだが、そのときゼミの先輩ふたりがギャハハハとわらいながら、このはなしをしていたのを思い出してかいてみた。ちなみに、そのふたりというのは安藤丈将さんと白井聡さん。いまではふたりとも立派な政治学者だ。まあ、そこにわたしがすこし脚色してかいたわけだから、いってみれば三人の合作というところだろうか。青春だよ。わっしょい！

そしていまから二年まえ。ある日、仏文学者の白石嘉治さんが講演会をやるというのでいってみたら、おどろきの事実をおしえてくれた。わたしたちの創作が意外とまちがっていなかったのだ。みんなおなじみ「アリとキリギリス」。もとより古代ギリシア、『イソップ寓話』が元ネタだ。だけどそれが世界中にひろまっていくのは一七世紀。フランスの詩人、ラ・フォンテーヌがその寓話にバシバシ手をいれて紹介してからだ。ラ・フォンテーヌの『寓話』である。本をひらいてみると、いちばん最初にこのはなしがでてくる。「セミとアリ」あれ？　そう、キリギリスではなくセミであり、アリとセミでもなくてセミとアリなのである。あくまで主人公はセミなのだ。

じつはイソップ寓話にキリギリスはでてこない。セミである。とうぜんながらギリシアは暑い地域。ミンミンミンミンミンミンミン。あのセミどもが狂ったように鳴いている。鳴くだけ鳴いてうたうだけうたって、夏のうちに往ってしまう。うたい狂って昇天だ。それをコツコツはたらくアリたちと比べたのだ。だが、ラ・フォンテーヌはちがう。住んでいたのはフランス北部。セミなどみたこともない。謎の虫だ。その証拠に出版当時の挿絵をみてみると、地べたをはいつくばる得体のしれない生命体がアリさんとおしゃべりしている。あきらかに異様だ。もちろん時間がたつにつれてセミの正体がわかってくるので、フランス人でもわかるようにとキリギリスに変更されるのだが、おもしろいのはラ・フォンテーヌが謎の虫をあえて『寓話』のトップバッターにもってきていることだ。せっかくなので、本文をみてみよう。

夏のあいだずっと
歌をうたっていたセミは、
北風が吹いてくると
ひどく困ってしまった。
ハエや小さな虫の
かけらひとつみつからない。
おなかがすいてたまらないので、
近所のアリの家(うち)へいって、
春になるまで食いつなぐため、
穀物を少々
貸して、と頼む。
「取り入れまえに、きっと、
元利そろえて

お返しします。」
アリは貸すことを好まない。
貸すなんて、そんな不徳はもちあわせない。
「暑い季節にはなにしていたの。」
アリは借り手のセミに訊く。
「夜も昼も、みなさんのために、
歌をうたっていましたの、すみません。」
「歌をうたったって？　そりゃけっこうな。
それじゃこんどは、踊りなさいよ。」
（ラ・フォンテーヌ『寓話』（上）今野一雄訳、岩波文庫）

どうだろう。すくなくとも「はたらかざるもの食うべからず」ではないだろう。むしろアリさんはセミさんに借金なんてさせたくないといっている。なにせ原作者のイソップは奴隷だったひとだ。カネを貸して返せなかったら奴隷にする。そんな不徳はもちあわせていない。それどころか、セミさんがみんなのために歌っているよというと、それをきいたアリさんが「それじゃこんどは、踊りなさいよ」といっているのだ。これまではたらいてばかりいたアリさんが、セミさんの出現によって狂いはじめる。歌をうたう、そりゃいいね。こんどは踊ってもらおうかと。どうもフランス語をみると、最後の「踊りなさいよ」はレッツダンスみたいなニュアンスらしい。謎の生命体と遭遇して、アリさんもまた得体のしれないなにかに化ける。いっしょにおどろう。レッツダンス！

しかもこのはなしがほかとちょっとちがうのは、どれもこういう教訓ですよと書かれているのに、「セミとアリ」だけはないのである。おかしい。なにがあったのか。その謎を解くヒントはラ・フォンテーヌの人生にある。まいりましょう。ラ・フォンテーヌは一六二一年、フランス北部のシャンパーニュ地方で生まれた。お父さんのあとをついで、河川森林管理の仕事をしていたのだが、三〇代になって、詩人になりたいという夢があきらめきれず、パリへいく。そこでパトロンをつけることに成功した。かの有名なフーケである。フーケはフランスの大蔵卿。財政を一手に担い、本人も財をなしてフランス一の大金持ちとしてしられていた。バカでかい城邸をきずき、そこでサロンをひらいて芸術家たちの交流の場をつくる。ああ、神さま、仏さま、フーケさま。そんなかんじだ。ラ・フォンテーヌにもよくしてくれた。ありがとう。

しかし一六六一年、事件がおこる。フーケ事件だ。当時、国王として絶対的な権力をきずきあげたかったルイ一四世。なのに、国王よりもカネをもち、みんなに尊敬される貴族がいてはこまるのである。殺すしかない。ルイ一四世はフーケが国費を濫用しているとデッチあげた。裁判では有罪。フーケは終身刑となり、牢獄のなかで死んだ。抹殺だ。その後、フーケの莫大な財産は国費として没収され、ルイ一四世がゲットした。そしてそのカネをつかって建てられたのが、あのヴェルサイユ宮殿だ。そこでサロンをひらいて、芸術家たちをもてなしていく。わたしがこの国でいちばん偉いのですよ、神なのですよ、絶対君主なのですよと。おとといきやがれ。

おおくの芸術家たちが長いものには巻かれろと、国王に服従しはじめる。だが、そこはフーケのやさしさに熱いおもいをもっていたラ・フォンテーヌだ。ルイ一四世にたいして死ねくらいにおもっていたことだろう。一六六八年、『寓話』を発表する。その一発目が「セミとアリ」だ。絶対君主の権威のもとに、みんながみんな有益な臣民であろうとすすんでしたがいはじめていた。税をはらうのも、兵士になるのもあたりまえ。国家のお役にたつためにコツコツとはたらきましょう。アリだ。だが、ひとたびセミとであえばはなしはちがう。謎の生命体。国家にとって不気味ななにかとであうのだ。セミが泣く、チクショウと。セミが泣く、チクショウと。

その一声でアリさんたちは気づいてしまう。なぜお国の役にたつことをしなければならないのか。有益な臣民にならなくてはならないのか。役にたつってだれのため？　一握りの権力者だ。自分の生ではない、他人の生をいきさせられるのだ。もちろん、おまえは使えるなといわれてホメられたらすこしはうれしい。だけどそんなことをしていたら死ぬまでこきつかわれてやりたいこともできやしない。まさにラ・フォンテーヌの若いころだ。文学なんて、詩歌なんて、なんの役にもたちやしない。だけどセミの一声を聴いてしまったら、だれもが小躍りせずにはいられない。無用で上等。将来を投げすてて、無我夢中でおどりだす。歌をうたって？　そりゃけっこうな。それじゃこんどはおどろうか。臣民たちがみずからの身体を放り投げる。農民たちが逃散し、兵隊たちが武器を捨てる。うたっておどってトンズラだ。ムダでいいよ。アリさんたちが続々と得体のしれないなにかに化ける。ミンミンミンミンミンミン。「惜しむとて惜しまれぬべきこの世かは　身を捨ててこそ身をも助けめ」。世界を捨てて、踊り狂え。それがセミの精神だ。

あなたの正義を突破せよ

さて、本書でつたえたかったのもそういうことだ。世間的にはムダなやつらだといわれているけれども、その負のレッテルにひらきなおったとたんに、権力にとって得体のしれないなにかに化ける。セミだ。たとえば、船本洲治。かれは一九六〇年代、日雇労働の現場に身を投じたうえで、自分たちのことを「汚物」と表現した。われわれはこの資本主義のなかで、まっとうな労働力としてあつかわれていない、不良労働力商品だといわれている。なんら生産的なことに寄与しない、この社会の汚物であるといわれている。だったら、その存在状況をそのまま武器に転化すればいい。はたらかないぞ。炊き出し、共同炊事、夏祭り。あとは仲間たちと協力をして自由気ままに生きられることを、わがこの身をもって示せばいいだけだ。いまこの場でエクソダス。

高群逸枝もおなじことだ。一九三〇年、高群は「家」ということばは、「豕」に屋根をかぶせるという意味であるといっていた。女は屋根に囲われ、ブタとして飼育された家畜にすぎない。男のために奉仕する家畜であり、奴隷であり、財産であると。

よき妻とか、よき母とか、耳触りのいいことばにだまされてはいけない。家庭をケトバセ。われわれは家のない家畜である。屋根のない「豕」である。ある種、「家」という経済の論理に照らしてみれば、そんな人たちは女として、家畜としてムダである。不良労働力商品だ。しかも家を捨てるのは人間として不道徳だといわれることだろう。だがそれでもかまわない。おのれの「豕」にひらきなおれ。はたらかないぞ。女性たちがセミになってうたいはじめる。アリのようにおどりはじめる。得体のしれないなにかに化ける。いうことききかないやつがいる。豚小屋に火を放て。アリさん、キリギリスさん、レッツダンス！

もしかしたら、こちらの意図とは関係なく、「汚物」や「豕」ということばを人間とかさねていることをあげつらい、猛烈にディスってくるひともいるかもしれない。じっさい、まえにそういうことがあった。内容などおかまいなしに、おまえは日雇労働者を「汚物」あつかいしている、差別だといってSNSでさわぎたてる。そうだ、そうだと大炎上。そうやって悪をたたき、絶対正義をたちあげる。敵を殲滅だ。きもちいい。「多数」の支持をえられれば、ウソでもそれが真実になる。なにをやってもわたしは正義。それがいまこの社会の権力だ。

しかしだからこそ宣言したい。「生の負債」からの解放。この社会ではいつでも正しい生きかたや正しい身の処しかた、正しいことばの使いかたがもうけられ、それにあわせられないことが悪いことだとおもわされる。できないやつはおちこぼれ。そうやって生きることに負い目をせおわされ、みんなと足並みをあわせられて、もっとがんばれ、もっとがんばれ、まだまだ努力がたりないぞと正しさ地獄でがんじがらめになっていくのが苦しいのだ。息ができない。もうたくさんだ。

むしろだれかが絶対正義をふりかざし、みんなが同調しはじめて従わないことが悪だといわれるようになったとしても、顔でわらって心でファック。「セミとアリのうた」をうたいたい。臣民なんてもうやめた。役たたずとよばれてもいい。たとえ世界が正義の監獄になったとしても、それでひどい目にあわされたとしても、仲間だとおもっていた連中から口汚いことばをあびせかけられたとしても、なにがあってもセミのようにうたうのだ。なんどでもいいたい。はじめからいっちゃいけないことなんてない、やっちゃいけないことなんてない、ぜんぶ自由だ。豚の女はピイピイとわめく。あなたの正義を突破せよ。アリがおどれば、世界はとまる。はたらかないで、たらふく食べたい。

＊

謝辞です。まずは夕バブックスの宮川真紀さん。いまさらながら、ほんとうに好き勝手にかかせていただき、ありがとうございました。また今回の文庫化にあたって、『仕事文脈』に掲載したいくつかのエッセイも収録させていただきました。感謝です。それから本書の担当編集者である井口かおりさんにも。このような機会をいただき、ありがとうございました。あらためて本書を世にだすことができてすごくうれしいです。そして「解説」をおひきうけくださった早助よう子さんにも。もつべきものは友ですね。心の底から謝謝です!!!　そしてそして、本書を手にとってくださったみなさまにも。最後までおつきあいいただき、ありがとうございました。またお会いしましょう。なごりおしいですが、時間です。しかたがない。ということで、ごきげんよう。さようなら。お元気で！

参考文献

※本文では、青空文庫など、無料で閲覧できるサイトを紹介した文献もありましたが、ご参考までに、それらもひっくるめて書籍で紹介しておきます。

『一遍上人語録――付 播州法語集』（岩波書店、一九八五年）
『一遍聖絵』（聖戒編、大橋俊雄校注、岩波書店、二〇〇〇年）
近藤ようこ『説経 小栗判官』（筑摩書房、二〇〇三年）
親鸞『歎異抄・教行信証（Ⅰ）（Ⅱ）』（石田瑞麿訳、中央公論新社、二〇〇三年）
『老子』（蜂屋邦夫訳注、岩波書店、二〇〇八年）
『荘子（Ⅰ）（Ⅱ）』（森三樹三郎訳、中央公論新社、二〇〇一年）
イソップ『イソップ寓話集』（中務哲郎訳、岩波書店、一九九九年）
小泉八雲『怪談・奇談』（平川祐弘編、講談社、一九九〇年）
『日本の名著21 本居宣長』（石川淳責任編集、中央公論社、一九八四年）
『与謝野晶子の源氏物語（上）（中）（下）』（角川学芸出版、二〇〇八年）
大和和紀『あさきゆめみし 全7巻』（講談社、二〇〇一年）
塚本学『徳川綱吉』（吉川弘文館、一九九八年）
鶴見俊輔『評伝 高野長英――1804-50』（藤原書店、二〇〇七年）

みなもと太郎『風雲児たち 全20巻』（リイド社、二〇一〇年）

田中伸尚『大逆事件――死と生の群像』（岩波書店、二〇一〇年）

『大杉栄評論集』（飛鳥井雅道編、岩波書店、一九九六年）

『定本　伊藤野枝全集　全四巻』（學藝書林、二〇〇〇年）

『高群逸枝語録』（鹿野政直・堀場清子編、岩波書店、二〇〇一年）

有島武郎『惜みなく愛は奪う――有島武郎評論集』（新潮社、二〇〇〇年）

安部公房『壁』（新潮社、一九六九年）

『赤瀬川原平の芸術原論展――1960年代から現在まで』（千葉市美術館・大分市美術館・広島市現代美術館・読売新聞社・美術館連絡協議会、二〇一四年）

平岡正明『犯罪あるいは革命に関する諸章』（大和書房、一九七三年）

船本洲治『黙って野たれ死ぬな――船本洲治遺稿集』（れんが書房新社、一九八五年）

『だめ連宣言！』（だめ連・編、作品社、一九九九年）

矢部史郎、山の手緑『愛と暴力の現代思想』（青土社、二〇〇六年）

白石嘉治『不純なる教養』（青土社、二〇一〇年）

佐々木中『切りとれ、あの祈る手を』（河出書房新社、二〇一〇年）

萱野稔人『新・現代思想講義　ナショナリズムは悪なのか』（NHK出版、二〇一一年）

『HAPAX VOL.2』（HAPAX編、二〇一四年）

ジョルジョ・アガンベン『バートルビー――偶然性について［附］ハーマン・メルヴィル『バートルビー』』（高桑和巳訳、月曜社、二〇〇五年）
フレデリック・ロルドン『なぜ私たちは、喜んで〝資本主義の奴隷〟になるのか？――新自由主義社会における欲望と隷属』（杉村昌昭訳、作品社、二〇一二年）
ヴィジャイ・プラシャド『褐色の世界史――第三世界とはなにか』（粟飯原文子訳、水声社、二〇一三年）
ジェームズ・C・スコット『ゾミア――脱国家の世界史』（佐藤仁監訳、みすず書房、二〇一三年）
ラウル・ヴァネーゲム『若者用処世術概論』（谷口清彦訳、夜光社、近刊）

初出一覧

「キリギリスとアリ」（『怪談　VOL．01』早稲田大学社会哲学研究会、2009年）
「切りとれ、この祈る耳を」（『怪談　VOL．03』早稲田大学社会哲学研究会、2011年）
「とうとう江戸の歴史が終わった」（『被曝社会年報01』新評論、2013年）
「豚小屋に火を放て」（『現代思想』2013年9月号　青土社、2013年9月）
「甘藷の論理」（『仕事文脈　VOL．4』タバブックス、2014年5月）
「地獄へ堕ちろ」（『季刊ピープルズ・プラン』第65号　現代企画室、2014年7月）
「大杉栄との出会い」（『大杉栄全集　第4巻　月報4』ぱる出版、2014年11月）
「ヘソのない人間たち」（『仕事文脈　VOL．5』タバブックス、2014年11月）
「だまってトイレをつまらせろ」（『文芸ラジオ　1号』東北芸術工科大学芸術学部文芸学科編著、2015年5月）

単行本時の書き下ろし
「他人の迷惑かえりみず」／「お寺の縁側でタバコをふかす」／「豚の足でもなめやがれ」／「反人間的考察」／「豚の女はピイピイとわめく」

文庫版増補

シカ人間の精神（『仕事文脈 VOL.9』タバブックス、2016年11月）

魂をたがやすな（『仕事文脈 VOL.10』タバブックス、2017年5月）

はたらく女性は、方向音痴（『仕事文脈 VOL.7』タバブックス、2015年11月）

ほどこしをしたら、こん棒でうて（『仕事文脈 VOL.8』タバブックス、2016年5月）

解説　あの頃の栗原さん

早助よう子

栗原さんとは友人として、ここ十年ほどおつきあいさせていただいている。文章は饒舌だが、素顔の栗原さんは寡黙で、おとなしい。怒って声を荒げたり、人の悪口を言ったりするところを見たことがない。いつも黙って、コツコツとお酒を飲んでいらっしゃる、道端のお地蔵さんのような、ありがたいようなお方である。

わたしたちは友人といっても、恋愛話などしたこともない、しようとも思わないよそよそしい二人なのだが、一度だけ、

「もうすぐ彼女の誕生日なんです」

と、栗原さんが言い出したことがあった。

つきあい始めたばかりで、よっぽど嬉しかったのだろう。何かプレゼントすんの、と問うと彼は、彼女は紅茶が好きな人なので、紅茶の詰め合わせを贈ろうと思う、と言って、静かにほほえんだ。

わたしは、

（栗原さん、それはお歳暮だよ。）

とすぐに思った。

それは、「お世話になったあの人に」贈るやつだよ、と。

確か、紅茶の詰め合わせは、デパートから送る、という話ではなかったか。

ますますお歳暮っぽい。

でも、口では、

「へー、いいね」

と言って、黙っていた。栗原さんの純な瞳を見ていると、自分の、つきあい始めたばかりの恋人にはもっと気の利いたものの方がいいんじゃないの、そういうのはもっと気心が知れてから、例えば、十七年目くらいにちょうどいい贈り物なんじゃないの、という思いがなんだか俗っぽく、いやらしく感じられたのだ。

わたしは、

（栗原さんの恋人が、栗原さんのこういう気の利かないところを大切に思って、愛してくれるおじょうさんでありますように）

とちょっと祈った。そして、何しろ興味がないのですぐに忘れてしまったのだったが、本書に収録されたエッセイ、「豚小屋に火を放て」によると、この恋愛は、大変悲しい結末を迎えたらしい。

で、「豚小屋に火を放て」である。栗原さんにとっては、ブレイクのきっかけだろう。このエッセイに目を留めた編集者によって、のちに本書、『はたらかないで、たらふく食べたい』にまとまる、雑誌連載が決まった。

「豚小屋――」が最初に思想誌『現代思想』に掲載されたとき、それを読んだ居酒屋で、友人たちが口々に、

「負けたー!」

と叫んでいたのを思い出す。見たことのない文体で、ひらがなが多く、めちゃくちゃで、面白かった。

満を持して雑誌連載が始まった頃は、他の友人も交えて、比較的、ひんぱんに栗原さんにお会いしていた。最近読んだ本、誰かが拾ってきた外国の政治ネタ、友人たちとの会話がそのまま、次号のエッセイに登場することも多かった。

わたしは、「栗原さんは、読んだらすぐ出す、ミルク飲み人形」としっかり陰口を叩きつつ、毎号、掲載誌が発売されると同時に本屋に走り、チェックしていた。我ながら微笑ましいが、それらがどんな栗原節となって出てくるか、とても楽しみだったのである。

エッセイ「ヘソのない人間たち」は、栗原さんが風呂場でヘソを落とした話、として友人の間でも有名だが、実はこの話は対になっていて、もう一つ逸話がある。

それは、「猫を目印にした話」という。

極度の方向音痴で有名な栗原さんが、神楽坂の友人宅を遊びに訪れた際、行く道で、塀の上で昼寝していた猫を目印にしてしまい、数時間後の帰り道ではまんまと道に迷って、結局駅までたどり着けなかった、という、涙が出るようないい話である。

栗原さんには、熱心な女性読者が多い。そういう話を、彼の担当編集者氏からもちょいちょい聞くし、トークイベントなんかをしても、一目瞭然らしい。

でも本書の単行本が発売されるまで、彼の友人たちも、ひょっとしたら本人も、そんなことは思いもよらなかったのではないか。いまとは似ても似つかない端正な文体で、数年前にお堅めの研究書を一冊、上梓したのをはじめ、思想誌や書評紙でも活躍してすでに良い読者がついていたとはいえ、研究者でも活動家でもない大勢の女性たちに、こんなにウケるとは。無政府主義は重要だし、面白いけど、日陰の花。

そう思っていた見る目のないわたしたちは、栗原さんの人気と成功に、度肝を抜かれてしまった。現在のアナキズムの隆盛、関連書籍の出版点数の多さを考えると、たかだか五、六年前の話なのに、大昔のことのようだ。世間にくらいわたしは、自由と解放を求める女性たちが世の中にはこんなにもたくさんいるのだ、ということを、本書の成功を通じて発見したように思う。素晴らしいことだ。

反省するとともに、栗原さんにはお礼を言いたい。

本書は、彼の数々の著作のなかでも、好きな一冊である。友人として、栗原さんのよさがよく出ていると思う。

そして何がすごいって、他人の目とか評価を気にしないところ。普通、なかなかこうはいかない。もし下心があれば、エッセイはどこか物欲しげになり、読者はすぐに気づくのではないだろうか。しかし、大きくみられようとか、かしこくみられようとかが、一切ない。

彼のものする姿勢は、いつまでもわたしのお手本である。

本書は、二〇一五年四月、タバブックスから刊行された単行本に、
未収録原稿や書き下ろしを加えたものです。

考現学入門　今和次郎　藤森照信編

震災復興後の東京で、都市や風俗への観察・採集からはじまった〈考現学〉。その雑学の楽しさを満載し、新編集でここに再現。（藤森照信）

路上観察学入門　赤瀬川原平／藤森照信／南伸坊編

マンホール、煙突、看板、貼り紙……路上から観察できる森羅万象を対象に、街の隠された表情を読みとる方法を伝授する。（とり・みき）

TOKYO STYLE　都築響一

小さい部屋が、わが宇宙。ごちゃごちゃと、しかし快適に暮らす、僕らの本当のトウキョウ・スタイルはこんなものだ！　話題の写真集文庫化！

自然のレッスン　北山耕平

自分の生活の中に自然を蘇らせる、心と体と食べ物のレッスン。自分の生き方を見つめ直すための詩的な言葉たち。帯文＝服部みれい（曽我部恵一）

バーボン・ストリート・ブルース　高田渡

流行に迎合せず、グラス片手に飄々とうたい続け、いぶし銀のような輝きを放ちつつ逝った高田渡の酔いどれ人生、ここにあり。（スズキコージ）

素敵なダイナマイトスキャンダル　末井昭

実母のダイナマイト心中を体験した末井少年が、革命的野心を抱きながら上京、キャバレー勤務を経て伝説のエロ本創刊に到る仰天記。（花村萬月）

青春と変態　会田誠

著者の芸術活動の最初期にあり、高校生男子の暴発するエネルギーを、日記形式の独白調で綴る変態的青春小説もしくは青春的変態小説。（松蔭浩之）

官能小説用語表現辞典　永田守弘編

官能小説の魅力は豊かな表現力にある。本書は創意工夫の限りを尽したその表現をピックアップした、日本初かつ唯一の辞典である。（重松清）

増補　エロマンガ・スタディーズ　永山薫

制御不能の創造力と欲望で数多の名作・怪作を生んできた日本エロマンガ。多様化の歴史と主要ジャンルを網羅した唯一無二の漫画入門。（東浩紀）

いやげ物　みうらじゅん

水で濡らすと裸が現われる湯呑み。着ると恥ずかしい地名入Tシャツ。かわいいが変な人形。抱腹絶倒土産物、全カラー。（いとうせいこう）

ＵＳＡカニバケツ　町山智浩
大人気コラムニストが贈る怒濤のコラム集！　スポーツ、ＴＶ、映画、ゴシップ、犯罪……。知られざるアメリカのＢ面を暴き出す。（デーモン閣下）

戦闘美少女の精神分析　斎藤環
ナウシカ、セーラームーン、綾波レイ……「戦う美少女」たちは、日本文化の何を象徴するのか。「おたく」「萌え」の心理的特性に迫る。（東浩紀）

映画は父を殺すためにある　島田裕巳
〝通過儀礼〟で映画を分析することで、隠されたメッセージを読み取ることができる。宗教学者が教える、ますます面白くなる映画の見方。（町山智浩）

無限の本棚　増殖版　とみさわ昭仁
幼少より蒐集にとりつかれ、物欲を超えた〝エアコレクション〟の境地にまで辿りついた男が開陳する驚愕の蒐集論。伊集院光との対談を増補。

死の舞踏　スティーヴン・キング　安野玲訳
帝王キングがあらゆるメディアのホラーについて圧倒的な熱量で語り尽くす伝説のエッセイ。「２０１０年版へのまえがき」を付した完全版。（町山智浩）

間取りの手帖　remix　佐藤和歌子
世の中にこんな奇妙な部屋が存在するとは！　間取りと一言コメント。文庫化に当たり、間取りとコラムを追加し著者自身が再編集。（南伸坊）

大正時代の身の上相談　カタログハウス編
他人の悩みはいつの世も蜜の味。大正時代の新聞紙上で１２９人が相談した、あきれた悩み、深刻な悩みが時代を映し出す。（小谷野敦）

日本地図のたのしみ　今尾恵介
地図記号の見方や古地図の味わい等、マニアならではの楽しみ方も、初心者向けにわかりやすく紹介。「机上旅行」を楽しむための地図「鑑賞」入門。

旅の理不尽　宮田珠己
旅好きタマキングが、サラリーマン時代に休暇を使い果たして旅したアジア各地の脱力系体験記。鮮烈なデビュー作、待望の復刊！（蔵前仁一）

国マニア　吉田一郎
ハローキティ金貨を使える国があるってほんと⁉　私たちのありきたりな常識を吹き飛ばしてくれる、世界のどこか変てこな国と地域が大集合。

品切れの際はご容赦ください

尾崎翠集成（上・下）　中野翠編　尾崎翠
鮮烈な作品を残し、若き日に音信を絶った謎の作家・尾崎翠。時間と共に新たな輝きを加えてゆくその文学世界を集成する。

クラクラ日記　坂口三千代
戦後文壇を華やかに彩った無頼派の雄・坂口安吾との、嵐のような生活を妻の座から愛と悲しみをもって描く回想記。巻末エッセイ＝松本清張

貧乏サヴァラン　早川暢子編　森茉莉
オムレット、ボルドオ風茸料理、野菜の牛酪煮……。食いしん坊茉莉は料理自慢。香り豊かな〝茉莉ことば〟で綴られる垂涎の食エッセイ。文庫オリジナル。

紅茶と薔薇の日々　早川茉莉編　森茉莉
天皇陛下のお菓子に洋食店の味、庭に実る木苺……森鷗外の娘にして無類の食いしん坊、森茉莉が描く懐かしく愛おしい美味の世界。（辛酸なめ子）

ことばの食卓　野中ユリ・画　武田百合子
なにげない日常の光景やキャラメル、枇杷など、食べものに関する昔の記憶と思い出を感性豊かな文章で綴ったエッセイ集。（種村季弘）

遊覧日記　武田花・写真　武田百合子
行きたい所へ行きたい時に、つれづれに出かけてゆく。一人で。または二人で。あちらこちらを遊覧しながら綴ったエッセイ集。（巖谷國士）

わたしは驢馬に乗って下着をうりにゆきたい　鴨居羊子
新聞記者から下着デザイナーへ。斬新で夢のある下着を世に送り出し、下着ブームを巻き起こした女性起業家の悲喜こもごも。（近代ナリコ）

私はそうは思わない　佐野洋子
佐野洋子は過激だ。ふつうの人が思うようには思わない。大胆で意表をついたまっすぐな発言をする。だから読後が気持ちいい。（群ようこ）

神も仏もありませぬ　佐野洋子
還暦……もう人生おりたかった。でも春のきざしの蕗の薹に感動する自分がいる。意味なく生きても人は幸せなのだ。第3回小林秀雄賞受賞。（長嶋康郎）

老いの楽しみ　沢村貞子
八十歳を過ぎ、女優引退を決めた著者が、日々の思いを綴る。齢にさからわず、「なみ」に、気楽に、と過ごす時間に楽しみを見出す。（山崎洋子）

遠い朝の本たち　須賀敦子

一人の少女が成長する過程で出会い、愛しんだ文学作品の数々を、記憶に深く残る人びととの想い出とともに描くエッセイ。（末盛千枝子）

おいしいおはなし　高峰秀子編

向田邦子、幸田文、山田風太郎……著名人23人の美味な思い出。文学や芸術にも造詣が深かった往年の大女優・高峰秀子が厳選した珠玉のアンソロジー。

るきさん　高野文子

のんびりしていてマイペース、だけどどっかヘンテコな、るきさんの日常生活って？　独特な色使いが光るオールカラー。ポケットに一冊どうぞ。

それなりに生きている　群ようこ

日当たりの良い場所を目指して仲間を蹴落とすカメ、迷子札をつけているネコ、自己管理している犬。文庫化に際し、二篇を追加して贈る動物エッセイ。

うつくしく、やさしく、おろかなり　杉浦日向子

生きることを楽しもうとしていた江戸人たち。彼らの紡ぎ出した文化にとことん惚れ込んだ著者がその思いの丈を綴った最後のラブレター。（松田哲夫）

ねにもつタイプ　岸本佐知子

何となく気になることにこだわる、ねにもつ。思索、奇想、妄想はばたく脳内ワールドをリズミカルな名短文でつづる。第23回講談社エッセイ賞受賞。

回転ドアは、順番に　穂村弘　東直子

ある春の日に出会い、そして別れるまで。気鋭の歌人ふたりが、見つめ合い呼吸をはかりつつ投げ合う、スリリングな恋愛問答歌。（金原瑞人）

絶叫委員会　穂村弘

町には、偶然生まれては消えてゆく無数の詩が溢れている。不合理でナンセンスで真剣だからこそ可笑しい、天使的な言葉たちへの考察。（南伸坊）

杏のふむふむ　杏

連続テレビ小説「ごちそうさん」で国民的な女優となった杏が、それまでの人生を、人との出会いをテーマに描いたエッセイ集。（村上春樹）

月刊佐藤純子　佐藤ジュンコ

注目のイラストレーター（元書店員）のマンガエッセイが大増量してまさかの文庫化！　仙台の街や友人との日常を描く独特のゆるふわ感はクセになる！

品切れの際はご容赦ください

これで古典がよくわかる　橋本治

古典文学に親しめず、興味を持てない人たちは少なくない。どうすれば古典が「わかる」ようになるかを具体例を挙げ、教授する最良の入門書。（武藤康史）

恋する伊勢物語　俵万智

恋愛のパターンは今も昔も変わらない。恋がいっぱいの歌物語の世界に案内する、ロマンチックでユーモラスな古典エッセイ。（武藤康史）

倚りかからず　茨木のり子

もはや／いかなる権威にも倚りかかりたくはない……話題の単行本に3篇の詩を加え、高瀬省三氏の絵を添えて贈る決定版詩集。（山根基世）

茨木のり子集　言の葉（全3冊）　茨木のり子

しなやかに凜と生きた詩人の歩みの跡を、詩とエッセイで編んだ自選作品集。単行本未収録の作品なども収め、魅力の全貌をコンパクトに纏める。

詩ってなんだろう　谷川俊太郎

谷川さんはどう考えているのだろう。その道筋にそって詩を集め、選び、配列し、詩とは何かを考えるおもとを示しました。（華恵）

笑う子規　正岡子規＋天野祐吉＋南伸坊

「弘法は何と書きしぞ筆始」「猫老て鼠もとらず置火燵」。天野さんのユニークなコメント、南さんの豪快な絵を添えて贈る愉快な子規句集。（関川夏央）

尾崎放哉全句集　村上護編

「咳をしても一人」などの感銘深い句で名高い自由律の俳人・放哉。放浪の旅の果て、小豆島で破滅型の人生を終えるまでの全句業。（村上護）

山頭火句集　種田山頭火　村上護編　小崎侃・画

自選句集「草木塔」を中心に、その境涯を象徴する随筆も精選収録し、〝行乞流転〟の俳人の全容を伝える一巻選集！（村上護）

絶滅寸前季語辞典　夏井いつき

「従兄煮」「蚊帳」「夜這星」「竈猫」……季節感が失われ、風習が廃れて消えていく季語たちに、新しい命を吹き込む読み物辞典。（茨木和生）

絶滅危急季語辞典　夏井いつき

「ぎぎ・ぐぐ」「われから」「子持花椰菜」「大根祝う」……消えゆく季語に新たな命を吹き込む読み物辞典。超絶季語続出の第二弾。（古谷徹）

一人で始める短歌入門　枡野浩一
「かんたん短歌の作り方」の続篇。CHINTAIのCM「いい部屋みつかっ短歌」の応募作を題材に短歌を指南。毎週10首、10週でマスター！

片想い百人一首　安野光雅
オリジナリティーあふれる本歌取り百人一首とエッセイ。読み進めるうちに、不思議と本歌も頭に入ってきて、いつのまにやらあなたも百人一首の達人に。

宮沢賢治のオノマトペ集　宮沢賢治　杉田淳子編　栗原敦監修
賢治ワールドの魅力的な擬音をセレクト・解説した画期的な一冊。ご存じ「どっどどどどうど　どどうど　どどう」など、声に出して読みたくなります。

増補　日本語が亡びるとき　水村美苗
明治以来豊かな近代文学を生み出してきた日本語が、いま、大きな岐路に立っている。我々にとって言語とは何なのか。第8回小林秀雄賞受賞作に大幅増補。

ことばが劈(ひら)かれるとき　竹内敏晴
ことばとこえとからだと、それは自分と世界との境界線だ。幼時に耳を病んだ著者が、いかにことばを回復し、自分をとり戻したか。

発声と身体のレッスン　鴻上尚史
あなた自身の「こえ」と「からだ」を自覚し、魅力的に向上させるための必要最低限のレッスンの数々。続ければ驚くべき変化が！　（安田登）

パンツの面目ふんどしの沽券　米原万里
キリストの下着はパンツか腰巻か？　幼い日にめばえた疑問を手がかりに、人類史上の謎に挑んだ、抱腹絶倒&禁断のエッセイ。　（井上章一）

全身翻訳家　鴻巣友季子
何をやっても翻訳的思考から逃れられない。妙に言葉が気になり妙な連想にはまる。翻訳というメガネで世界を見た貴重な記録（エッセイ）。　（穂村弘）

夜露死苦現代詩　都築響一
寝たきり老人の独語、死刑囚の俳句、エロサイトのコピー……誰も文学と思わないのに、一番僕たちをドキドキさせる言葉をめぐる旅。増補版。

英絵辞典　岩田一男　真鍋博
真鍋博のポップで精緻なイラストで描かれた日常生活の205の場面に、6000語の英単語を配したビジュアル英単語辞典。　（マーティン・ジャナル）

品切れの際はご容赦ください

私の幸福論　福田恆存

この世は不平等だ。何と言おうと！　しかしあなたは幸福にならなければ……。平易な言葉で生きることの意味を説く刺激的な書。（中野翠）

生きるかなしみ　山田太一編

人は誰でも心の底に、様々なかなしみを抱きながら生きている。「生きるかなしみ」と真摯に直面し、人生の幅と厚みを増した先人達の諸相を読む。

老いの生きかた　鶴見俊輔編

限られた時間の中で、いかに充実した人生を過ごすかを探る十八篇の名文。来るべき日にむけて考えるヒントになるエッセイ集。

人生の教科書［よのなかのルール］　藤原和博　宮台真司

〝バカを伝染（うつ）さない〟ための「成熟社会へのパスポート」です。大人と子ども、お金と仕事、男と女と自殺のルールを考える。（重松清）

14歳からの社会学　宮台真司

「社会を分析する専門家」である著者が、社会の「本当のこと」を伝え、いかに生きるべきか、に正面から答えた。重松清、大道珠貴との対談を新たに付す。

逃走論　浅田彰

パラノ人間からスキゾ人間へ、住む文明から逃げる文明への大転換の中で、軽やかに〈知〉と戯れるためのマニュアル。

学校って何だろう　苅谷剛彦

「なぜ勉強しなければいけないの？」「校則って必要なの？」等、これまでの常識を問いなおし、学ぶ意味を再び摑むための基本図書。（小山内美江子）

生き延びるためのラカン　斎藤環

幻想と現実が接近しているこの世界で、できるだけリアルに生き延びるためのラカン解説書にして精神分析入門書。カバー絵・荒木飛呂彦（中島義道）

反社会学講座　パオロ・マッツァリーノ

恣意的なデータを使用し、権威的な発想で人に説教する困った学問「社会学」の暴走をエンターテイメントな議論で撃つ！　真の啓蒙は笑いから。

「社会を変える」を仕事にする　駒崎弘樹

元ITベンチャー経営者が東京の下町で始めた「病児保育サービス」が全国に拡大。「地域を変える」が「世の中を変える」につながった。

半農半Xという生き方【決定版】　塩見直紀
農業をやりつつ好きなことをする「半農半X」を提唱した画期的な本。就職以外の生き方、転職、移住後の生き方として。帯文＝藻谷浩介　（山崎亮）

レトリックと詭弁　香西秀信
「沈黙を強いる問い」「論点のすり替え」など、議論に仕掛けられた巧妙な罠に陥ることなく、詐術に打ち勝つ方法を伝授する。

人生を〈半分〉降りる　中島義道
哲学的に生きるには〈半隠遁〉というスタイルを貫くしかない。「清貧」とは異なるその意味と方法を、自身の体験を素材に解き明かす。（中野翠）

ひとはなぜ服を着るのか　鷲田清一
ファッションやモードを素材として、アイデンティティや自分らしさの問題を現象学的視線で分析する。「鷲田ファッション学」のスタンダード・テキスト。

ひきこもりはなぜ「治る」のか？　斎藤環
「ひきこもり」研究の第一人者の著者が、ラカン、コフート等の精神分析理論でひきこもる人の精神病理を読み解き、家族の対応法を解説する。（井出草平）

パーソナリティ障害がわかる本　岡田尊司
性格は変えられる。「パーソナリティ障害」を「個性」に変えるために、本人や周囲の人がどう対応し、どう工夫したらよいかがわかる。（山登敬之）

子は親を救うために「心の病」になる　高橋和巳
子は親が好きだからこそ「心の病」になり、親を救おうとしている。精神科医である著者が説く、親子という「生きづらさ」の原点とその解決法。

減速して自由に生きる　髙坂勝
自分の時間もなく働く人生よりも自分の店を持ち人と交流したいと開店。具体的なコツと、独立した生き方。一章分加筆。帯文＝村上龍　（山田玲司）

花の命はノー・フューチャー　ブレイディみかこ
移民、パンク、LGBT、貧困層。地べたから見た英国社会をスカッとした笑いとともに描く。200頁分の大幅増補！　帯文＝佐藤亜紀　（栗原康）

ライフワークの思想　外山滋比古
自分だけの時間を作ることは一番の精神的肥料になる、前進だけが人生ではない――。時間を生かして、ライフワークの花を咲かせる貴重な提案。

品切れの際はご容赦ください

ちくま文庫

はたらかないで、たらふく食べたい 増補版
――「生の負債」からの解放宣言

二〇二一年二月十日 第一刷発行
二〇二四年三月十五日 第二刷発行

著者 栗原康(くりはら・やすし)
発行者 喜入冬子
発行所 株式会社 筑摩書房
東京都台東区蔵前二―五―三 〒一一一―八七五五
電話番号 〇三―五六八七―二六〇一(代表)
装幀者 安野光雅
印刷所 星野精版印刷株式会社
製本所 株式会社積信堂

乱丁・落丁本の場合は、送料小社負担でお取り替えいたします。
本書をコピー、スキャニング等の方法により無許諾で複製することは、法令に規定された場合を除いて禁止されています。請負業者等の第三者によるデジタル化は一切認められていませんので、ご注意ください。
© Yasushi Kurihara 2021 Printed in Japan
ISBN978-4-480-43720-4 C0195